ESTATE PUBLICATIONS

CHESHIRE

C000127923

Street maps with index
Administrative Districts
Population Gazetteer
Road Map with index
Postcodes

COUNTY RED BOOKS

This atlas is intended for those requiring street maps of the historical and commercial centres of towns within the county. Each locality is normally presented on one or two pages and although, with many small towns, this space is sufficient to portray the whole urban area, the maps of large towns and cities are for centres only and are not intended to be comprehensive. Such coverage in Super and Local Red Books (see page 2).

Every effort has been made to verify the accuracy of information in this book but the publishers cannot accept responsibility for expense or loss caused by any error or omission. Information that will be of assistance to the user of these maps will be welcomed.

The representation of a road, track or footpath on the maps in this atlas is no evidence of the existence of a right of way.

Street plans prepared and published by ESTATE PUBLICATIONS, Bridewell House, TENTERDEN, KENT, and based upon the ORDNANCE SURVEY mapping with the permission of the Controller of H. M. Stationery Office.

The Publishers acknowledge the co-operation of the local authorities of towns represented in this atlas.

COUNTY RED BOOK

CHESHIRE

contains street maps for each town centre

SUPER & LOCAL RED BOOKS

are street atlases with comprehensive local coverage

CHESTER

including: Blacon, Christleton, Saltney, Waverton etc.

CREWE

including: Haslington, Nantwich, Sandbach etc.

STOKE-ON-TRENT (Staffordshire)

including: Alsager (Cheshire), Audley, Biddulph, Blythe Bridge, Kidsgrove, Madeley, Newcastle-under-Lyme etc.

CONTENTS

LEGEND TO STREET MAPS

One-Way Street	→	Post Office	●
Pedestrianized	▨	Public Convenience	☖
Car Park	℗	Place of Worship	+

Scale of street plans: 4 Inches to 1 mile (unless otherwise stated on the map).

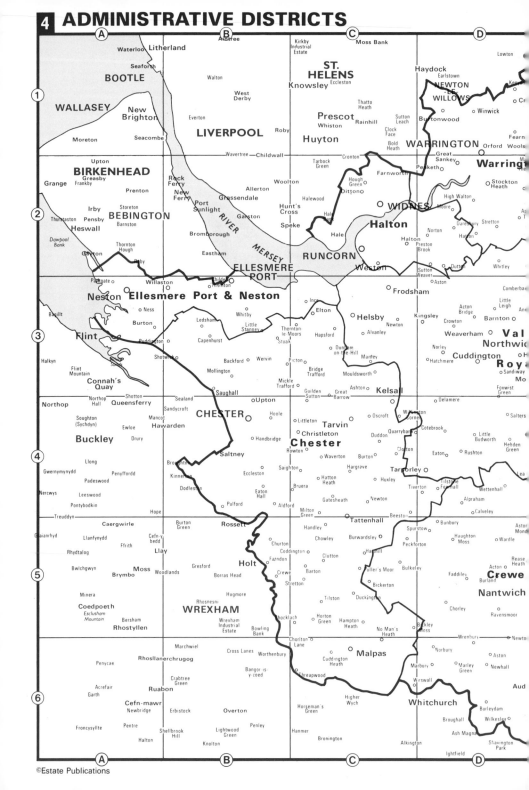

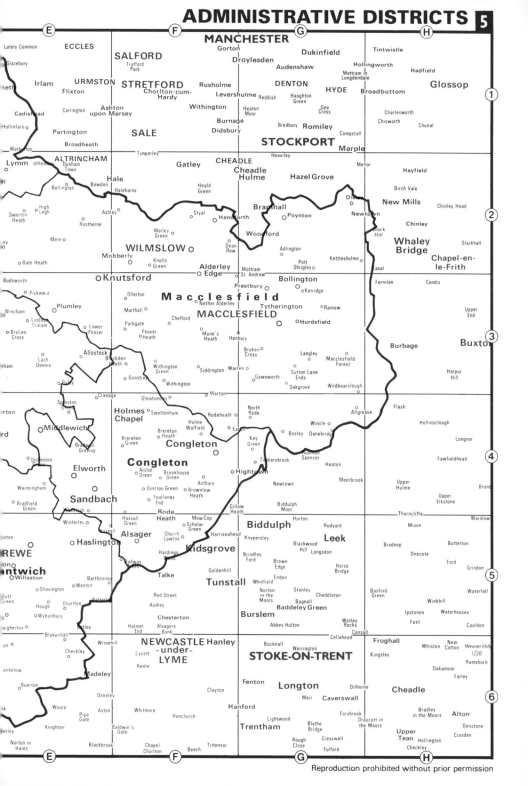

ADMINISTRATIVE DISTRICTS 5

GAZETTEER INDEX TO ROAD MAP
with Populations

County of Cheshire population **956,616**

Districts:

Chester	115,971
Congleton	84,525
Crewe & Nantwich	103,164
Ellesmere Port & Neston	80,873
Halton	123,716
Macclesfield	151,590
Vale Royal	114,092
Warrington	182,685

Acton **238**	8 D5
Acton Bridge **626**	8 D3
Adlington **1,035**	9 G2
Agden, Chester **50**	*
Agden, Macclesfield **163**	*
Alderley Edge **4,482**	9 F3
Aldersey **79**	8 C5
Aldford **212**	8 B4
Allgreave **659**	9 G4
Allostock **659**	*
Alpraham **377**	8 D4
Alsager **11,912**	9 F5
Altrincham (Gtr Manchester)	9 F2
Alvanley **470**	8 C3
Anderton with Marbury **430**	8 D3
Antrobus **712**	8 D2
Appleton Thorn **8,166**	8 D2
Arclid	9 F4
Arclid Green **208**	9 F4
Arley	9 E2
Ashley **302**	9 F2
Ashton **945**	8 C3
Astbury **1,380**	9 F4
Aston, Crewe	8 D6
Aston, Vale Royal **110**	8 D3
Aston by Budworth **290**	*
Aston juxta Mondrum **161**	8 D5
Audlem **1,797**	8 D6
Austerson **151**	*

Bache **145**	*
Backford **122**	8 B3
Baddiley **249**	*
Baddington **107**	*
Barbridge	8 D5
Barnton **5,802**	8 D3
Barthomley **211**	9 E5
Barton **78**	8 C5
Basford **260**	*
Bate Heath	9 E2
Batherton **104**	*
Beeston **196**	8 C5
Betchton **615**	*
Bexton **3**	*
Bickerton **189**	8 C5
Bickley Moss **432**	8 C5
Birchwood	8 D1
Blacon	8 B4
Blackden Heath	9 F3
Blakenhall **118**	9 E6
Bollington **7,040**	9 G3
Bollington by Altrincham	9 E2
Bosley **418**	9 G4
Bostock Green **100**	9 E3
Bradfield Green	9 E4
Bradley **71**	*
Bradwall Green **148**	9 E4
Brereton Green **1,065**	9 F4
Brereton Heath	9 F4
Bridgemere **107**	*
Bridge Trafford **23**	8 C3
Brindley **152**	*
Broken Cross, Macclesfield	9 G3
Broken Cross, Vale Royal	9 E3
Brookhouse Green	9 F4
Broomedge	8 E2
Broomhall **204**	*
Brownlow Heath	9 F4
Broxton **417**	8 C5

Bruen Stapleford **68**	*
Bruera	8 B4
Bucklow Hill	8 E2
Buerton, Chester **22**	*
Buerton, Crewe **477**	9 E6
Bulkeley **247**	8 C5
Bunbury **1,280**	8 D5
Burland **548**	8 D5
Burleydam	8 D6
Burton & Ness **2,935**	8 A3
Burton **51**	8 C4
Burtonwood **10,042**	8 D1
Burwardsley **181**	8 C5
Butt Green	9 E5
Byley **193**	9 E3
Cadishead	9 E1
Caldecott **25**	*
Calveley **181**	8 D4
Capenhurst **269**	8 B3
Carden **71**	*
Caughall **33**	*
Checkley **80**	9 E6
Chelford **1,246**	9 F3
Chester **64,473**	8 B4
Chester Castle **5**	*
Chidlow **11**	*
Childer Thornton	8 B3
Cholmondeston **132**	*
Cholmondley **158**	*
Chorley, Crewe **111**	8 D5
Chorley, Macclesfield **463**	*
Chorlton-by-Backford **65**	*
Chorlton Lane **58**	8 C6
Chorlton, Crewe **65**	9 E5
Chowley **25**	8 C5
Christleton **1,985**	8 C4
Church Lawton **2,360**	9 F5
Church Minshull **396**	8 D4
Church Shocklach **82**	*
Churton by Aldford **147**	*
Churton & Farndon **155**	8 B5
Churton Heath **14**	*
Claverton **10**	*
Clotton Hoofield **237**	8 C4
Clutton **147**	8 C5
Coddington **77**	8 B5
Comberbach **1,103**	8 D3
Congleton **25,241**	9 F4
Coole Pilate **62**	*
Coppenhall	9 E4
Cotebrook	8 D4
Cotton Abbotts **5**	*
Cotton Edmunds **29**	*
Coxbank	8 D6
Cranage **1,008**	9 E4
Croughton **19**	*
Crowton **434**	8 D3
Cuddington, Chester **181**	*
Cuddington, Vale Royal **5,536**	8 D3
Cuddington Heath	8 C6
Cuerdley **115**	*
Culcheth & Glazebury **7,215**	8 D1
Danebridge	9 G4
Daresbury **311**	8 D2
Darnhall **175**	*
Davenham **2,804**	9 E3
Dean Row **5,183**	9 F2
Delamere **967**	8 D4
Delamere Park	8 D3
Disley **4,590**	9 G2
Ditton **6,149**	8 C2
Dodcott cum Wilkesley **380**	*
Doddington **33**	*
Dodleston **765**	8 B4

Duckington **48**	8 C5
Duddon **404**	8 C4
Dunham-on-the-Hill **507**	8 C3
Dutton **360**	8 D2
Eaton, Chester **55**	*
Eaton, Macclesfield **322**	9 F4
Eaton, Vale Royal	8 D4
Eaton Hall	8 B4
Eccleston **216**	8 B4
Edge **174**	*
Edgerley **5**	*
Edleston **59**	*
Egerton **87**	*
Ellesmere Port **57,678**	8 B3
Elton **2990**	8 C3
Elworth	9 E4
Ettiley Heath	9 E4
Faddiley **121**	8 D5
Farndon **1,594**	8 B5
Farnworth **8,075**	8 C2
Fearnhead	8 D1
Foulk Stapleford **184**	9 F4
Fourlanes End	9 F4
Foxwist Green	8 D4
Frodsham **8,903**	8 C3
Fuller's Moor	8 C5
Gatesheath	8 C4
Gawsworth **1,823**	9 G3
Gleadsmoss	9 F4
Golborne Bellow **65**	*
Golborne David **50**	*
Goostrey **2,289**	9 E3
Grafton **11**	*
Grappenhall & Thelwall **8,778**	8 D2
Great Barrow **916**	8 C4
Great Boughton **8,453**	*
Great Budworth **382**	9 E3
Great Sankey **19,775**	8 D2
Great Warford **402**	*
Guilden Sutton **1,558**	8 C4
Hale (Gtr. Manchester)	9 F2
Hale **2,012**	8 C2
Hale Bank	8 C2
Halton **6,569**	8 C2
Hampton Heath **325**	8 C5
Handbridge	8 B4
Handforth **6,343**	9 F2
Handley **158**	8 C5
Hankelow **233**	8 D6
Hapsford **82**	8 C3
Hargrave	8 C4
Hartford **4,605**	8 D3
Harthill **37**	8 C5
Haslington **5,724**	9 E5
Hassall **273**	*
Hassall Green	9 F4
Hatchmere	8 D3
Hatherton **295**	9 E6
Hatton **318**	8 D2
Hatton Heath **123**	8 C4
Haughton Moss **153**	8 D5
Heatley **2,902**	9 E2
Hebden Green	8 D4
Helsby **4,538**	8 C3
Henbury **668**	9 F3
Henhull **55**	*
Higher Hurdsfield **698**	*
Higher Wych	8 C6
High Legh **1,572**	9 E2
Hightown	9 F4
High Walton **1,610**	8 D2
Higher Wincham	8 E3
Hockenhull **14**	*
Hoe Green	*
Hollinfare (Rixton-with-Glazebrook) **1,827**	8 E2
	9 E1

6

Place	Pop.	Map ref.
Holmes Chapel **5,369**		9 F4
Hoole **231**		8 B4
Hooton		8 B3
Horton **91**		*
Horton cum Peel **15**		*
Horton Green		8 C5
Hough **703**		9 E5
Hough Green **7,856**		8 C2
Hulme Walfield **141**		9 F4
Hunsterson **164**		*
Huntington **2,162**		*
Hurdsfield		9 G3
Hurleston **55**		*
Huxley **216**		8 C4
Iddinshall **44**		*
Ince **205**		8 C3
Kelsall **2,394**		8 C4
Kerridge		9 G3
Kettleshulme **315**		9 G2
Key Green		9 G4
Kingsley **2,035**		8 D3
Kings Marsh **35**		*
Knolls Green		9 F2
Knutsford **13,352**		9 E3
Lach Dennis **273**		9 E3
Lache		8 B4
Langley		9 G3
Larkton **30**		*
Lea **33**		*
Lea-by-Backford **191**		*
Lea Newbold **17**		*
Ledsham **113**		8 B3
Leighton **2,679**		*
Lightwood Green **170**		8 D6
Little Bollington **170**		*
Little Budworth **645**		8 D4
Little Leigh **585**		8 D3
Littleton **610**		8 C4
Little Stanney **193**		*
Little Warford **342**		*
Liverpool (Merseyside)		8 B1
Lostock Gralam **2,338**		9 E3
Lower Kinnerton **123**		*
Lower Peover		9 E3
Lower Stretton		8 D2
Lower Withington **489**		9 F3
Lyme Handley **171**		*
Lymm **10,155**		9 E2
Macclesfield **49,024**		9 G3
Macclesfield Forest & Wildboarclough **219**		9 G3
Macefen **93**		*
Malpas **1,545**		8 C6
Manchester (Gtr. Manchester)		9 F1
Manley **537**		8 C3
Manor Park		8 E4
Marbury cum Quoisley **211**		8 D6
Marley Green		8 D6
Marlston cum Lache **148**		*
Marston **531**		9 E3
Marthall **151**		9 F3
Martinscroft		8 D2
Marton **229**		9 F4
Mere **616**		9 E2
Mickle Trafford **1,904**		8 B3
Middlewich **10,100**		9 E4
Millington **222**		*
Milton Green		8 C4
Minshull Vernon **210**		*
Mobberley **2,697**		9 F2
Mollington **680**		8 B3
Monk's Heath		9 F3
Moore **549**		8 D2
Moreton cum Alcumlow **173**		*
Morley Green & Styal **5,054**		9 F2
Moston, Chester **779**		8 B3
Moston Green **400**		9 E4
Mottram St. Andrew **614**		9 F3
Mouldsworth **279**		8 C3
Moulton **2,325**		8 D3
Mow Cop (Odd Rode **5,358**)		9 F5
Nantwich **11,695**		8 D5
Ness & Burton **2,935**		8 A3
Neston **20,345**		8 A3
Nether Alderley **626**		9 F3
Nether Peover **427**		*
New Mills		9 F2
Newbold Astbury **511**		*
Newhall **690**		8 D6
Newton		8 C3
Newton by Malpas **10**		*
Newton by Tattenhall **139**		8 C4
Newtown		9 H2
No Man's Heath		8 C6
Norbury **195**		8 D6
Norley **1,089**		8 D3
North Rode **180**		9 G4
Northwich **18,316**		8 D3
Norton **7,572**		8 C2
Oakgrove		9 G3
Oakmere **488**		8 D3
Occleston Green		9 E4
Oldcastle **52**		*
Ollerton **335**		9 F3
Orford **7,623**		8 D1
Oscroft		8 C4
Over Alderley **317**		*
Over Peover		9 F3
Overton **61**		*
Parkgate **3,789**		8 A3
Peckforton **83**		8 C5
Penketh **9,000**		8 D2
Peover Heath		9 F3
Peover Inferior **103**		*
Peover Superior **661**		*
Pickmere **464**		9 E3
Picton **69**		8 B3
Plumley **689**		9 E3
Poole **90**		*
Pott Shrigley **224**		9 G3
Poulton, Chester **77**		*
Poulton-with-Fearnhead **17,335**		8 D1
Poynton-with Worth **15,131**		9 G2
Prestbury **3,623**		9 G3
Preston Brook **151**		8 C2
Prior's Heys **15**		*
Puddington **312**		8 A3
Pulford **339**		8 B5
Radway Green		9 F5
Rainow **1,315**		9 G3
Ravensmoor		8 D5
Ridley **110**		*
Risley		9 E1
Rode Heath (Odd Rode **5,358**)		9 F5
Rodeheath, Macclesfield		9 G4
Rope **2,130**		*
Rostherne **194**		9 E2
Rowton **482**		8 B4
Rudheath **3,572**		8 E3
Runcorn **65,984**		8 C2
Rushton **420**		8 D4
Saighton **197**		8 B4
Salterswall		8 D4
Saltney		8 B4
Sandbach **15,839**		9 E4
Saughall **3,242**		8 B3
Scholar Green (Odd Rode **5,358**)		9 F5
Shavington cum Gresty **4,705**		9 E5
Shocklach		8 B5
Shocklach Oviatt **84**		*
Shotwick **46**		*
Shotwick Park **60**		*
Siddington **396**		9 F3
Smallwood **488**		*
Snelston **151**		*
Somerford **304**		*
Somerford Booths **170**		*
Sound **241**		8 D6
Sproston Green **177**		9 E4
Spurstow **366**		8 C5
Stanlow		8 B3
Stanthorne **150**		*
Stapeley **344**		9 E5
Stoak		8 B3
Stockton **19**		*
Stockton Heath **6,095**		8 D2
Stoke, Chester **158**		*
Stoke, Crewe **133**		*
Stretton, Warrington **404**		8 D2
Stretton, Chester **45**		8 C5
Styal & Morley Green **5,054**		9 F2
Sutton, Vale Royal **476**		*
Sutton Lane Ends **2,594**		9 G3
Sutton Weaver		8 C2
Swan Green		8 E3
Swettenham **251**		9 F4
Sworton Heath		9 E2
Tabley Inferior **84**		*
Tabley Superior **330**		*
Tarporley **2,308**		8 D4
Tarvin **2,843**		8 C4
Tattenhall **1,854**		8 C5
Tatton **44**		*
Thelwall		8 D2
Thornton-le-Moors **214**		8 B3
Threapwood **89**		8 C6
Tilston **632**		8 C5
Tilstone Fearnall **84**		8 D4
Timbersbrook		9 G4
Tiverton **432**		8 C4
Toft **90**		*
Tushingham-cum-Grindley **173**		*
Twemlow **206**		9 F4
Tytherington		9 G3
Upton-by-Chester **7,906**		8 B4
Utkinton **678**		8 D4
Walgherton **130**		9 E6
Wardle **185**		8 D5
Warmingham **174**		9 E4
Warren		9 F3
Warrington **55,738**		8 D1
Waverton **1,622**		8 C4
Weaverham **6,604**		8 D3
Wervin **118**		8 B3
Weston, Crewe **889**		9 E5
Weston, Halton		8 C2
Wettenhall **161**		8 D4
Wharton **3,707**		9 E4
Wheelock		9 E4
Wheelock Heath		9 E5
Whitby **5,315**		8 B3
Whitby Heath		8 B3
Whitegate & Marton **898**		8 D3
Whitley **507**		8 D2
Widnes **57,732**		8 C2
Wigland **100**		*
Wildboarclough & Macclesfield Forest **219**		9 G3
Wilkesley		8 D6
Willaston, Crewe **2,692**		9 E5
Willaston, Ellesmere Port **3,848**		8 A3
Willington Corner **96**		8 C4
Wilmslow **29,745**		9 F2
Wimboldsley **128**		*
Wimbolds Trafford **102**		*
Wincham **2,141**		9 E3
Wincle **166**		9 G4
Winsford **27,535**		8 D4
Winterley		9 E5
Winwick **4,578**		8 D1
Wirswall **111**		8 C6
Wistaston **6,850**		9 E5
Withington Green		9 F3
Woodbank **69**		*
Woods Lane		9 G2
Woolstanwood **782**		*
Woolston **7,728**		8 D1
Worleston **265**		9 E5
Wrenbury cum Frith **1,120**		8 D6
Wybunbury **1,145**		9 E5
Wychough **10**		*

Population figures are based upon the 1991 census and relate to the local authority area or parish as constituted at that date. Boundaries of the districts are shown on pages 4-5. Places with no population figure form part of a larger local authority area or parish.

Population figures in bold type.

*Place not included on map due to limitation of space

7

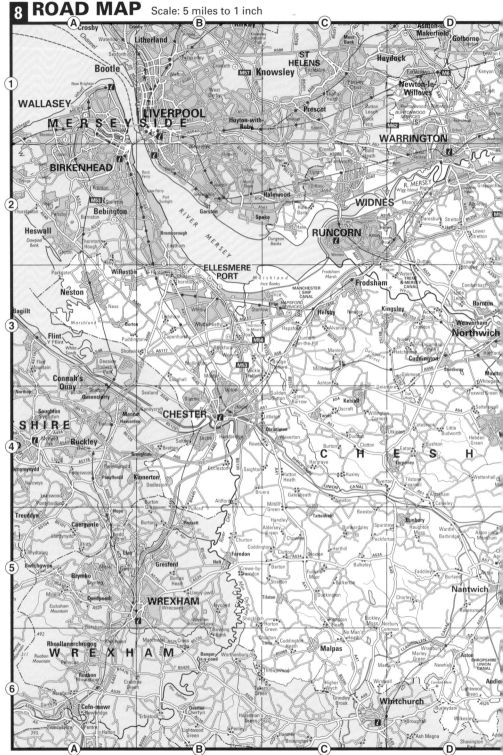

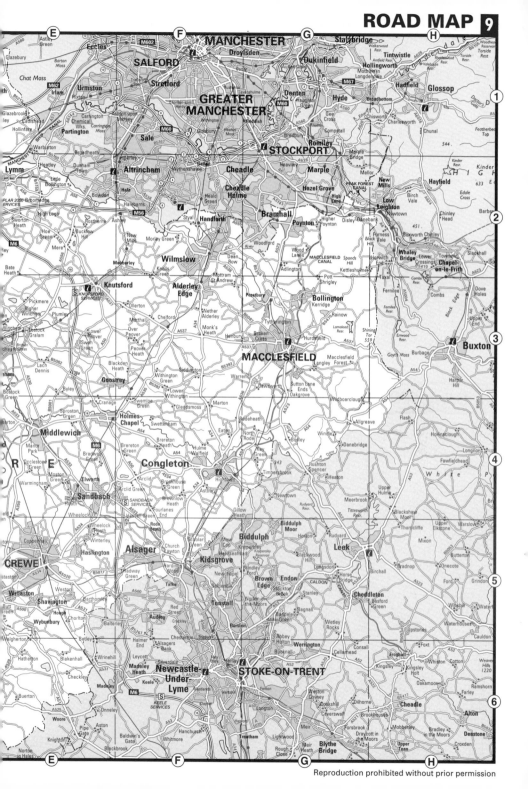

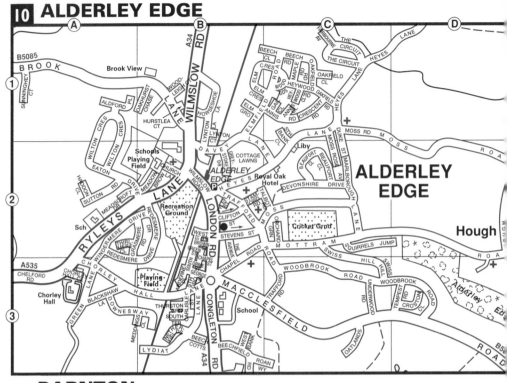

BARNTON

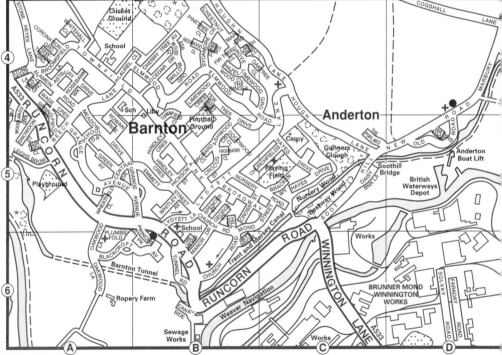

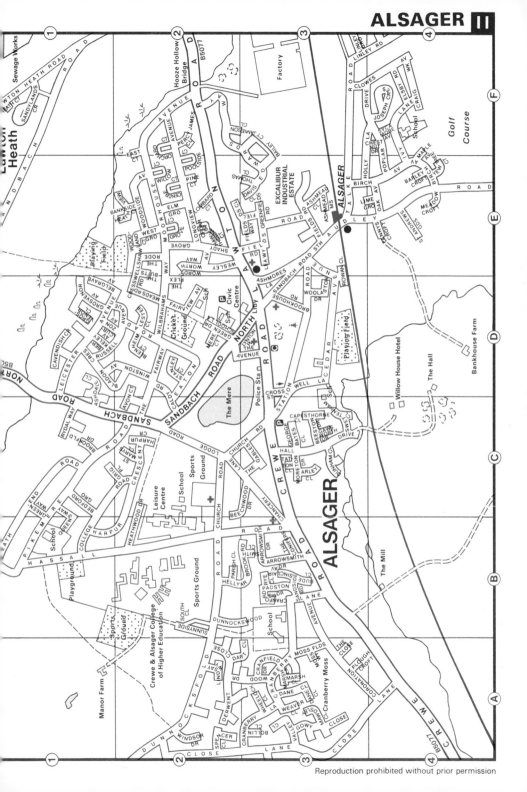

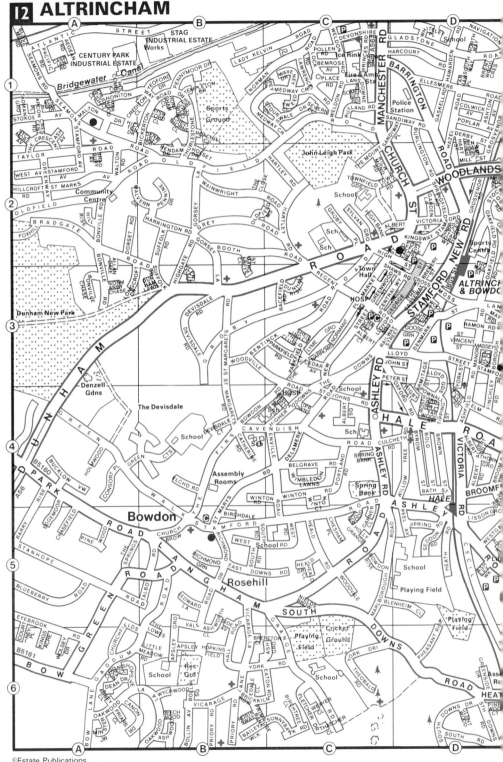

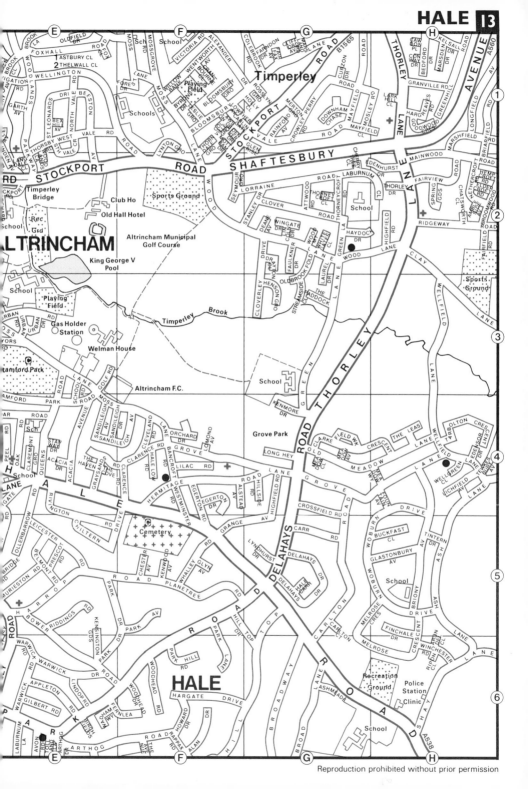

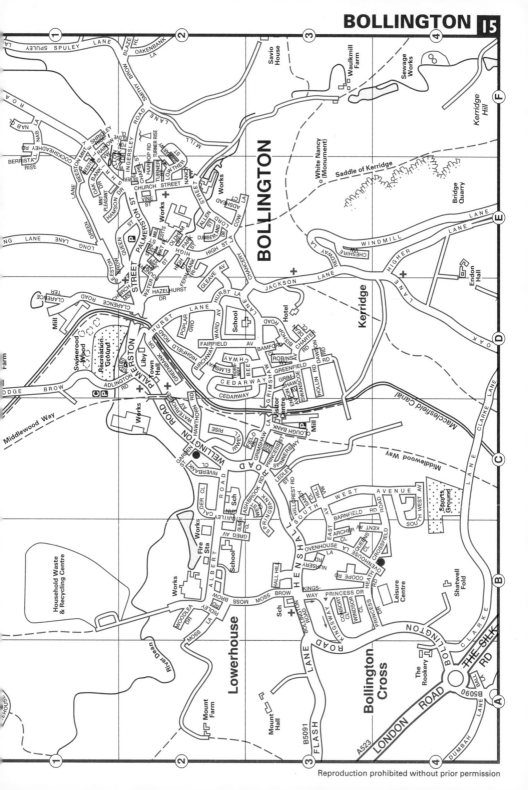

BOLLINGTON

Kerridge

Lowerhouse

Bollington Cross

Kerridge Hill

White Nancy (Monument)

Saddle of Kerridge

Bridge Quarry

Endon Hall

Savio House

Weulkmill Farm

Sewage Works

Macclesfield Canal

Middlewood Way

Household Waste & Recycling Centre

Recreation Ground

Swinerood Wood

Mount Farm

Mount Hall

Shatwell Fold

The Rookery

Leisure Centre

Sports Ground

Fire Sta

Works

Hotel

School

Town Hall

LONDON ROAD

THE SILK RD

SPULEY LANE

WINDMILL LANE

OAK LANE

CLARKE LANE

FLASH LANE

HENSHALL LANE

WELLINGTON ROAD

PALMERSTON STREET

CHURCH STREET

HIGH STREET

JACKSON LANE

HURST LANE

ADLINGTON ROAD

CLARENCE ROAD

River Dean

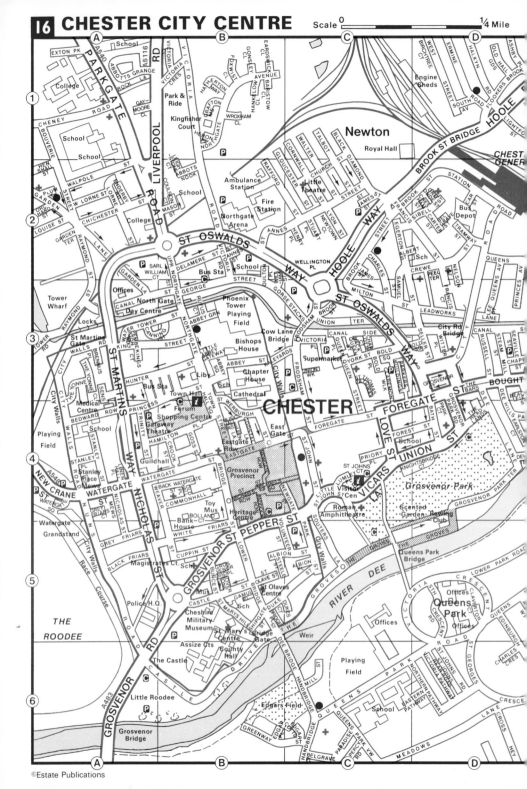

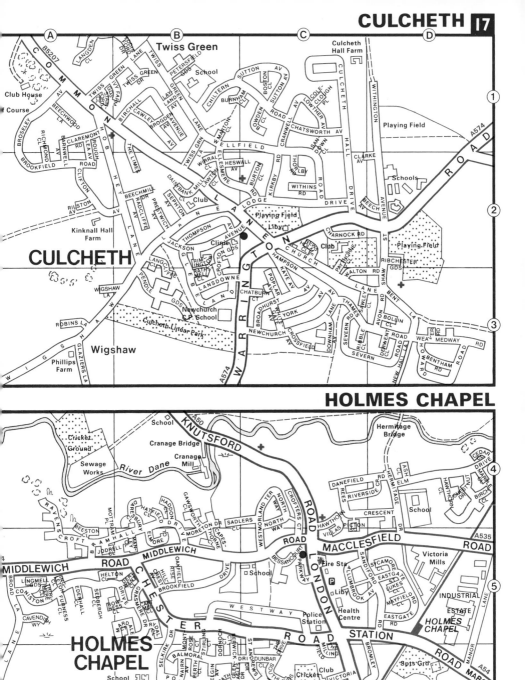

HOLMES CHAPEL

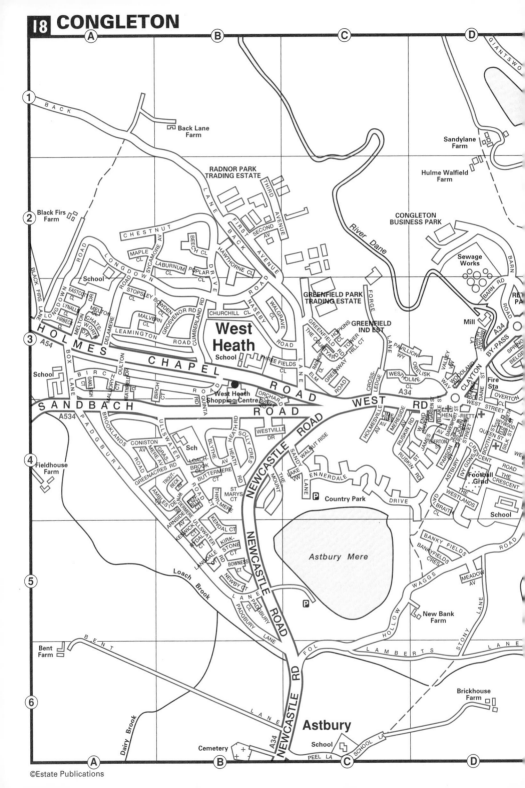

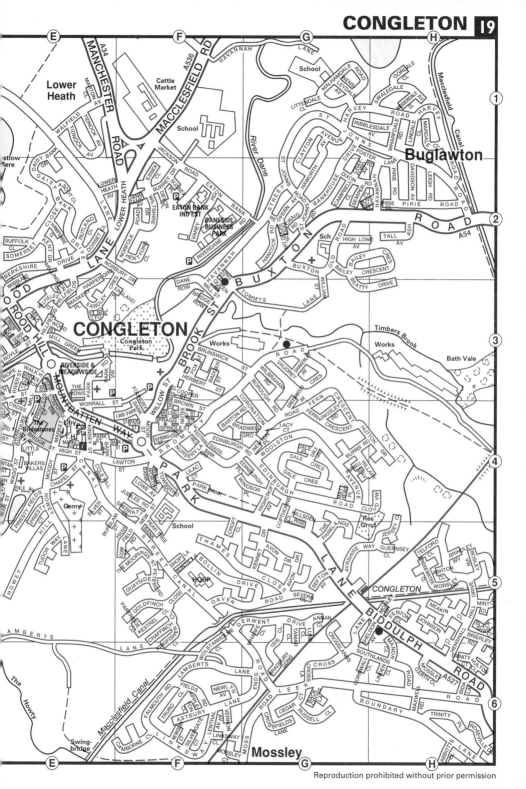

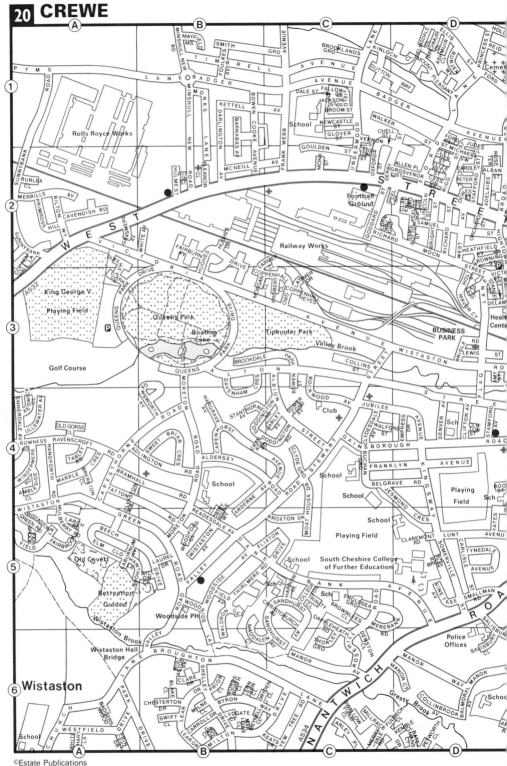

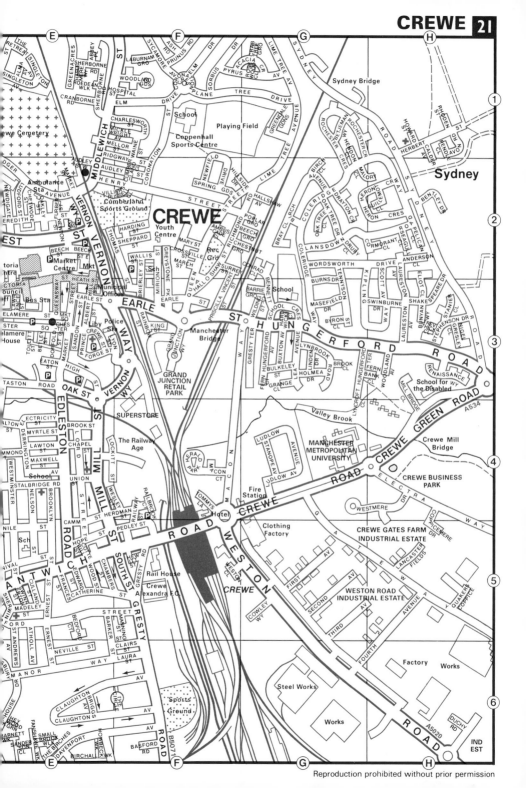

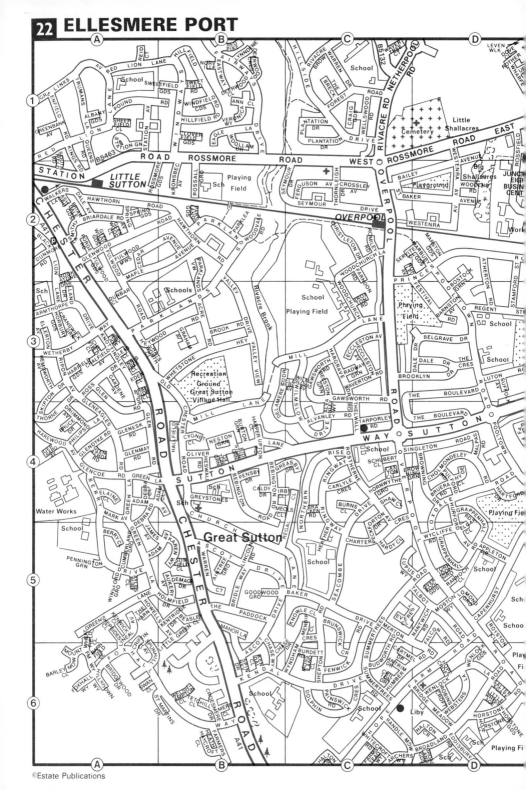

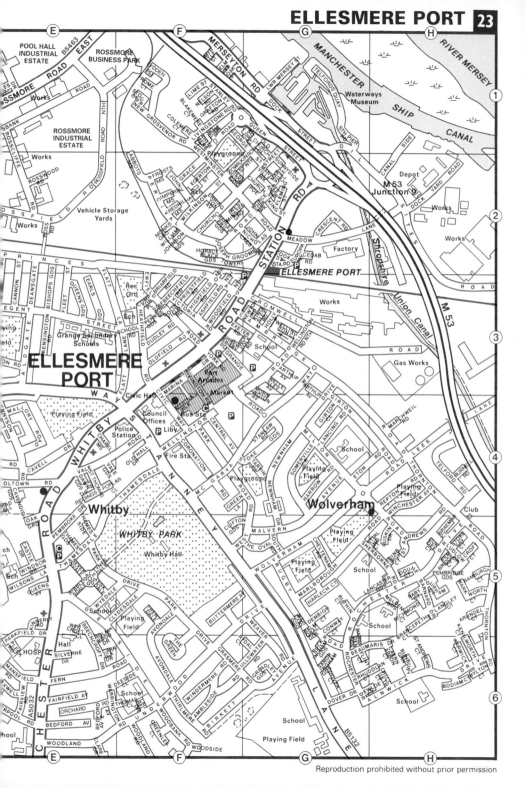

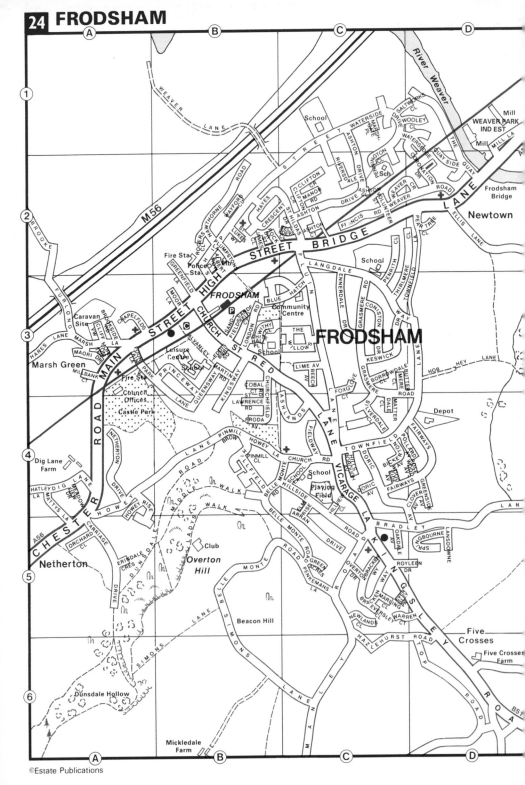

24 FRODSHAM

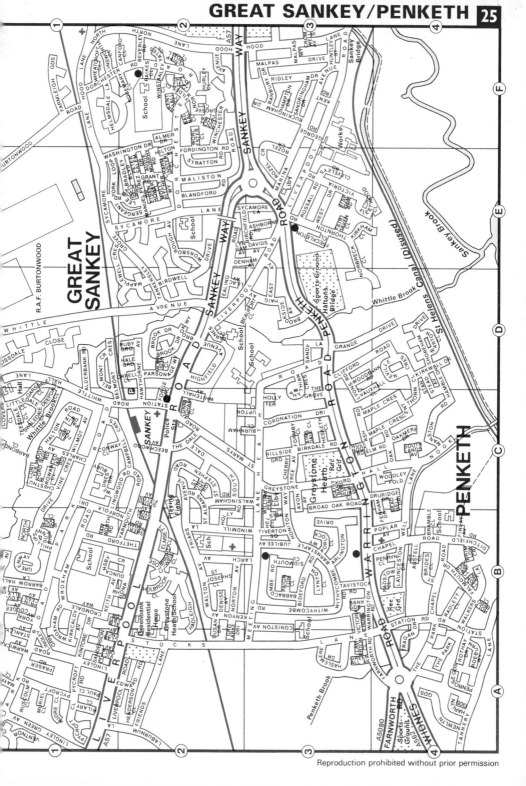

GREAT SANKEY

PENKETH

R.A.F. BURTONWOOD

Sankey Canal (Disused)

Sankey Brook

Whittle Brook

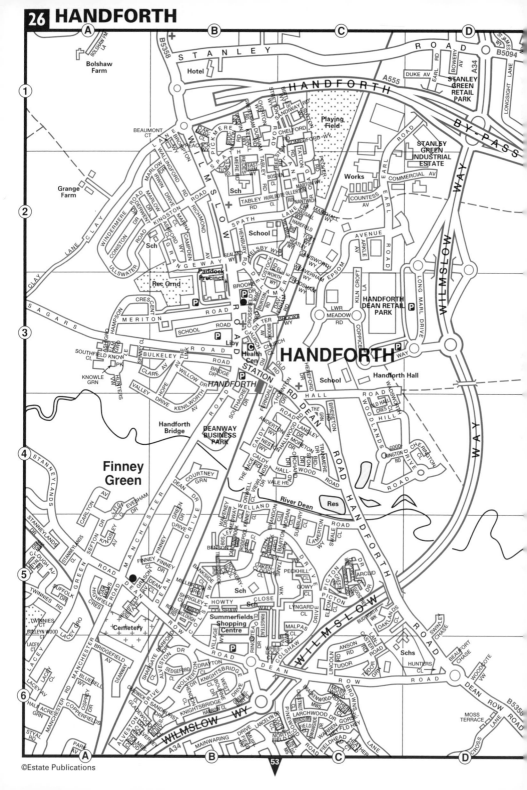

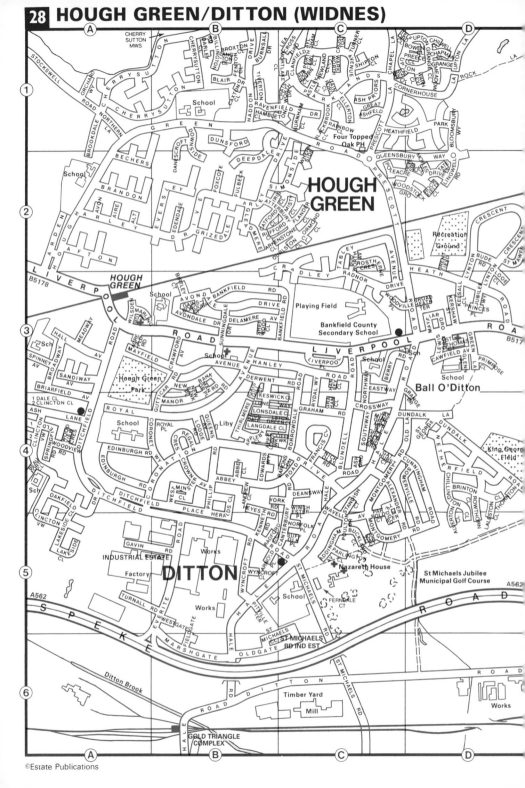

HOUGH GREEN

DITTON

Ball O'Ditton

Four Topped Oak PH

Recreation Ground

Bankfield County Secondary School

Hough Green Park

Nazareth House

St Michaels Jubilee Municipal Golf Course

King George Field

INDUSTRIAL ESTATE

Factory

Timber Yard

Mill

GOLD TRIANGLE COMPLEX

ST MICHAELS RD IND EST

SPEKE ROAD

Ditton Brook

LIVERPOOL ROAD

B5178

A562

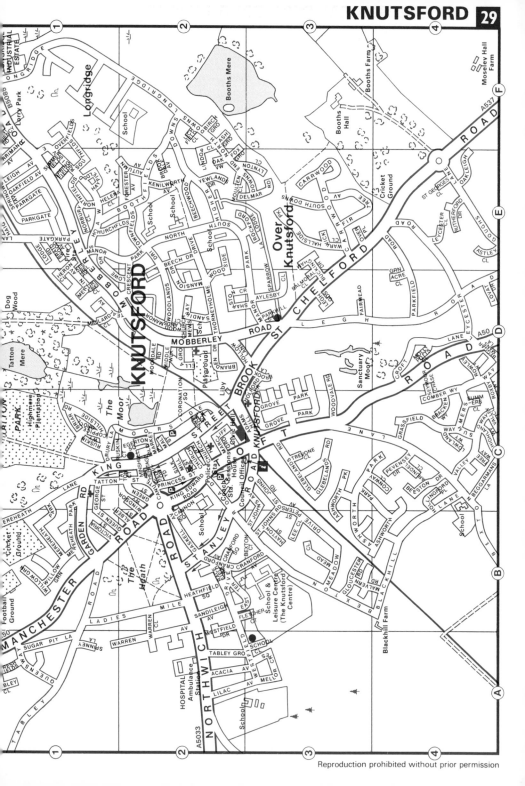

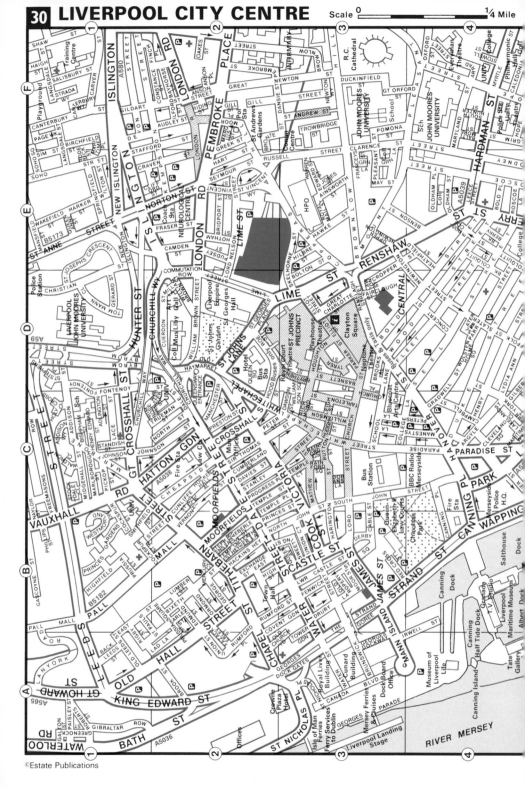

Scale 0 ¼ Mile

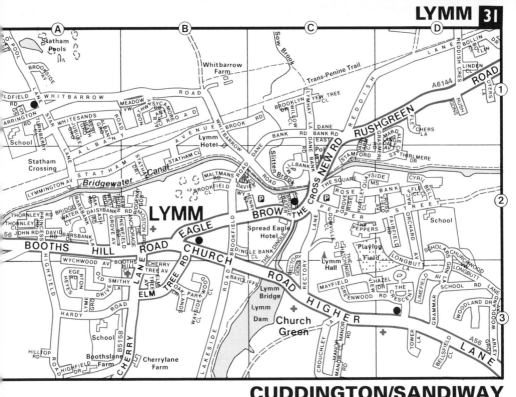

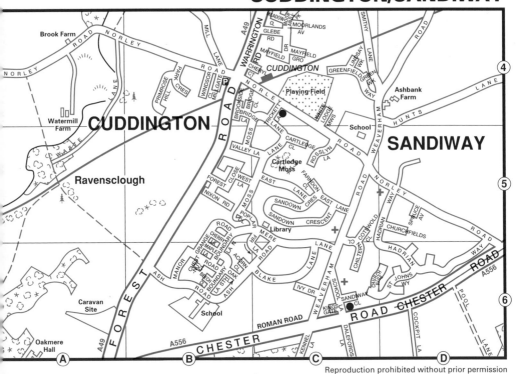

CUDDINGTON/SANDIWAY

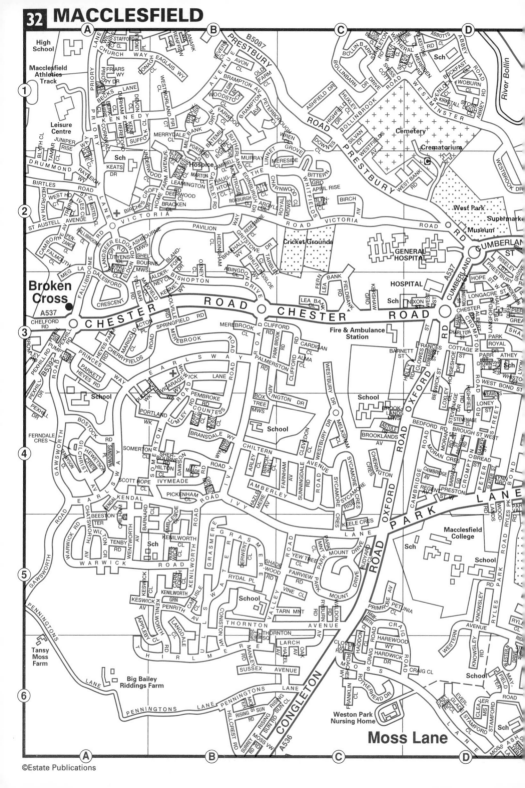

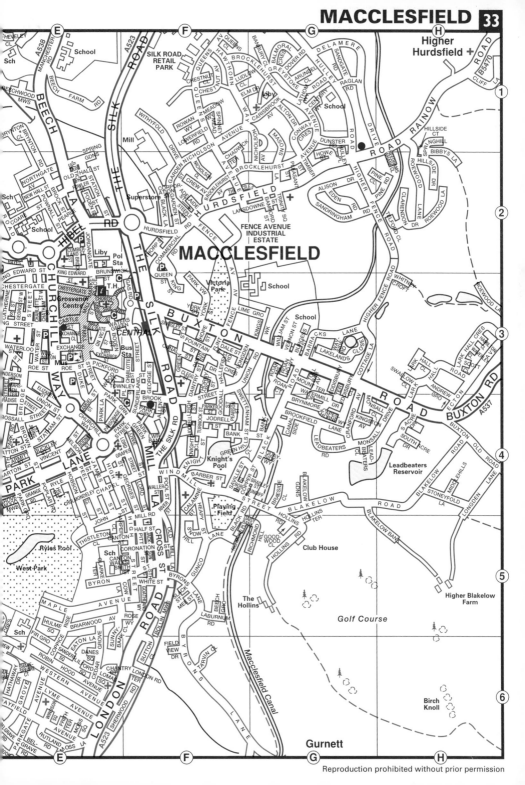

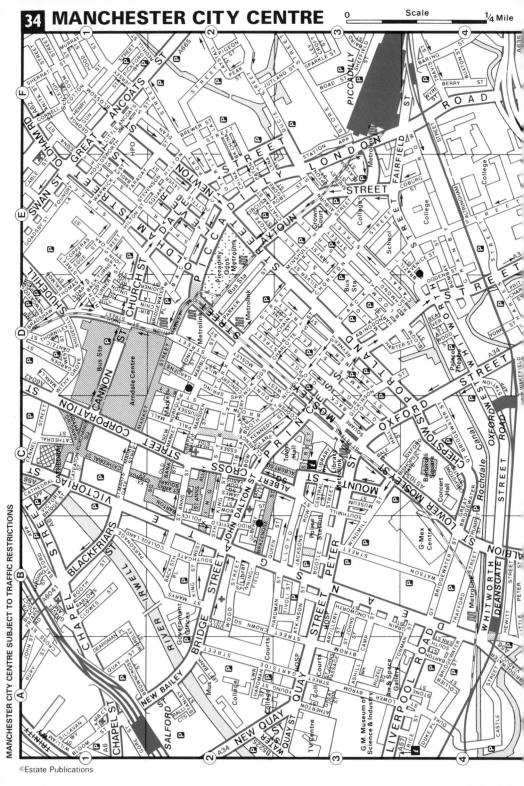

Scale

0 — ¼ Mile

MANCHESTER CITY CENTRE SUBJECT TO TRAFFIC RESTRICTIONS

©Estate Publications

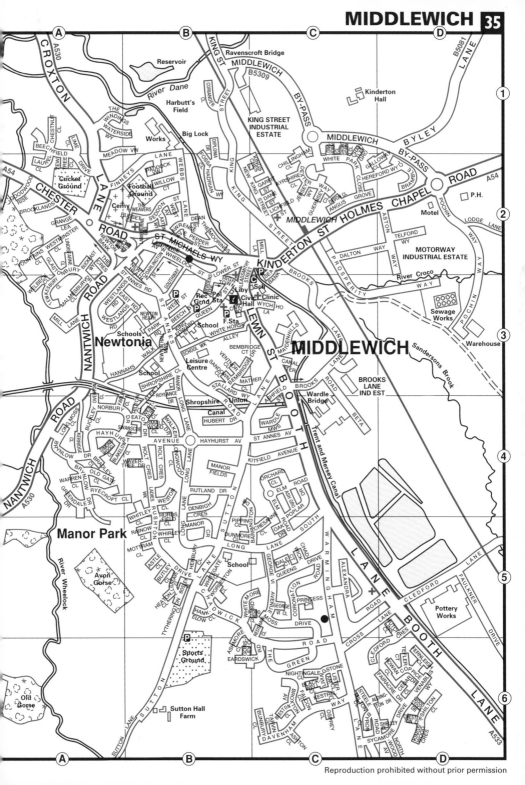

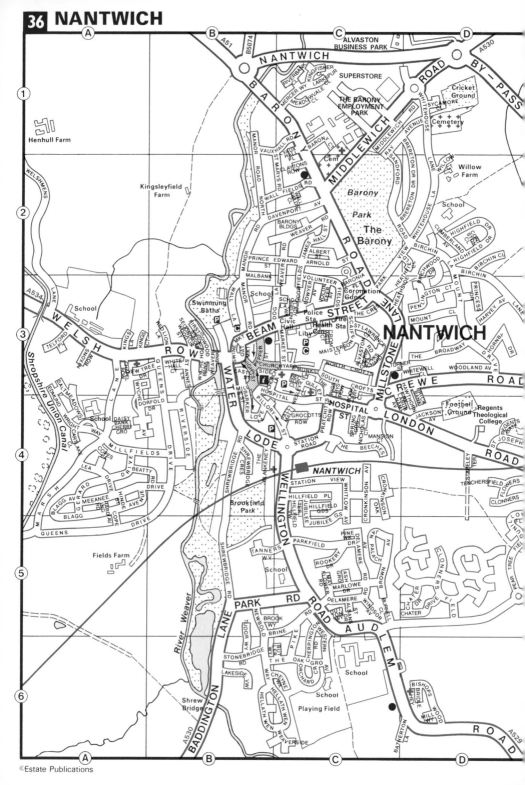

36 NANTWICH

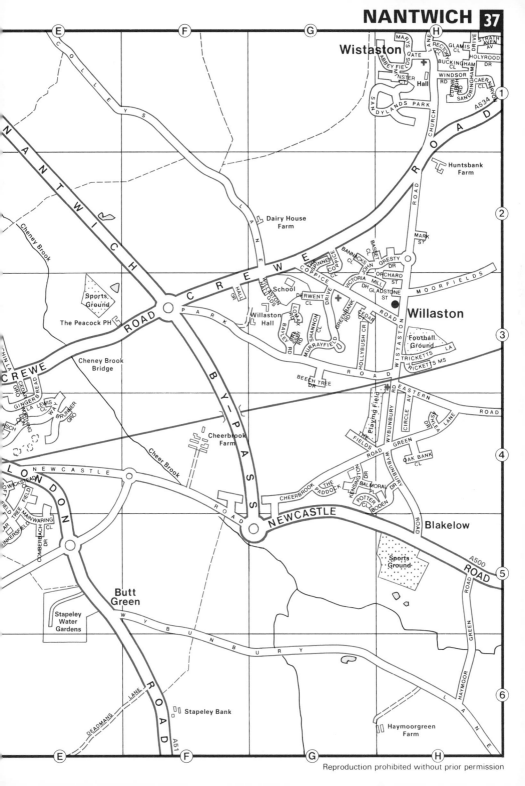

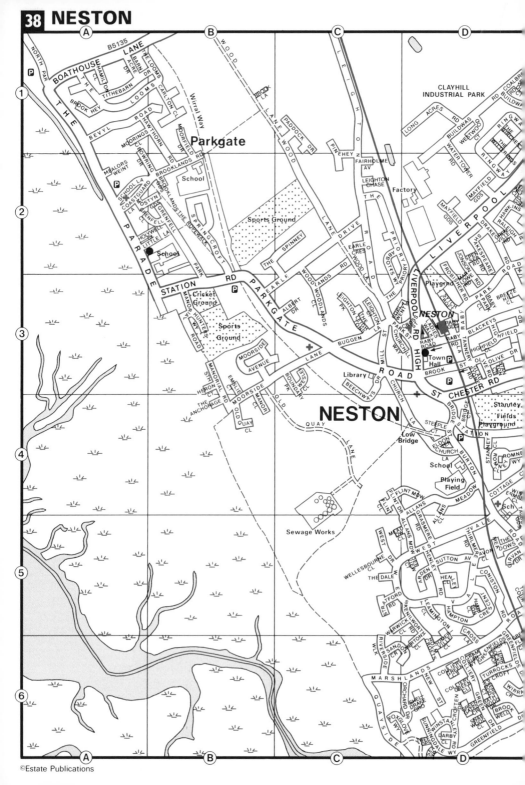

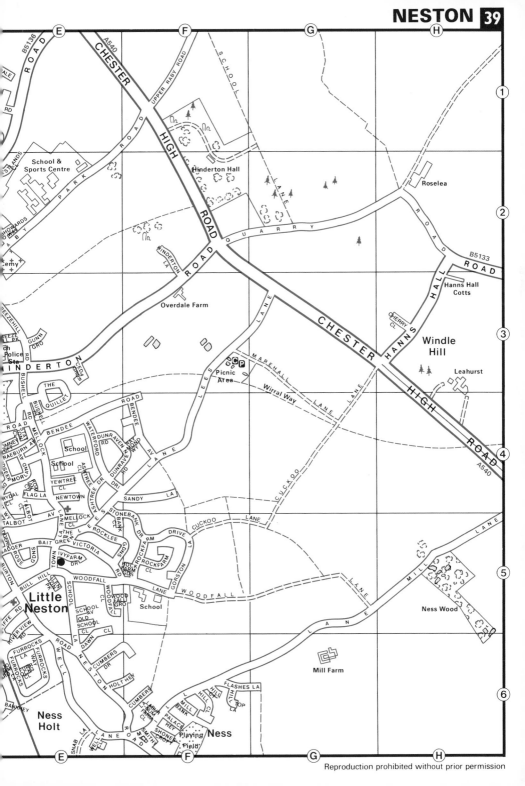

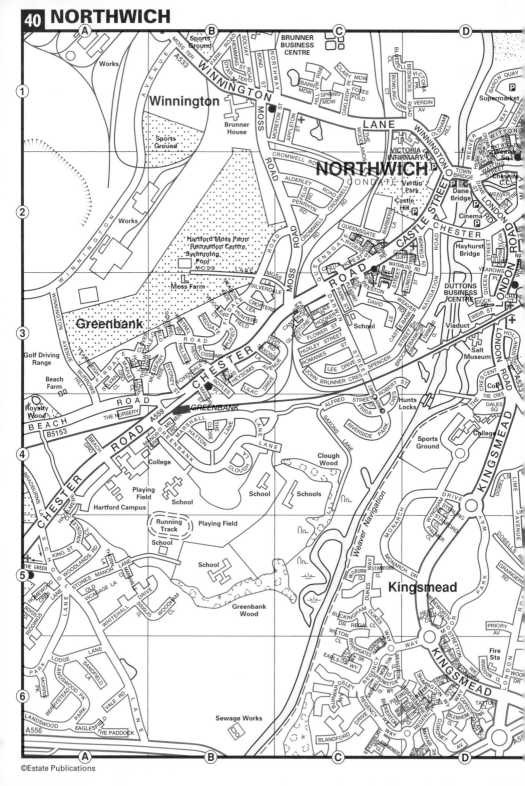

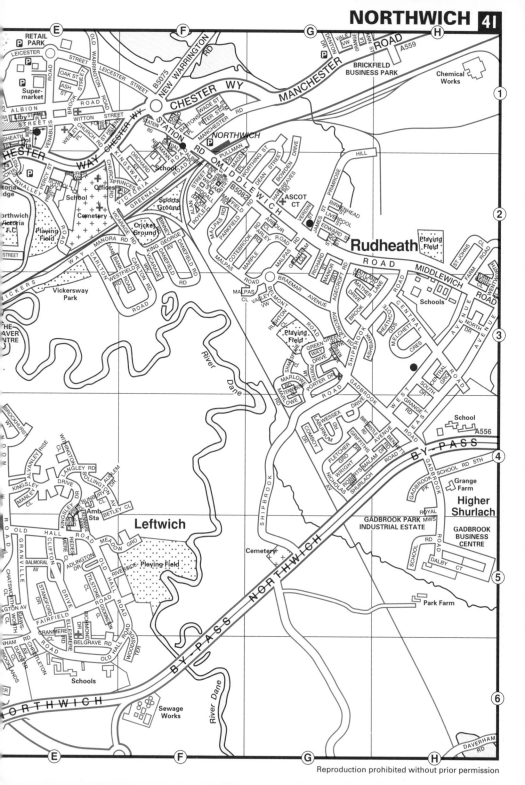

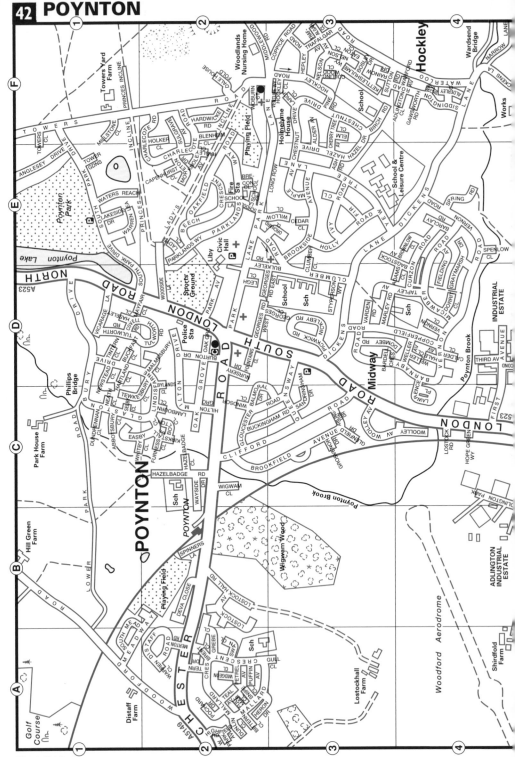

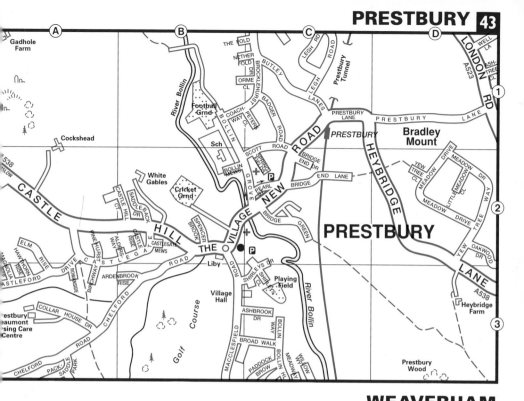

PRESTBURY

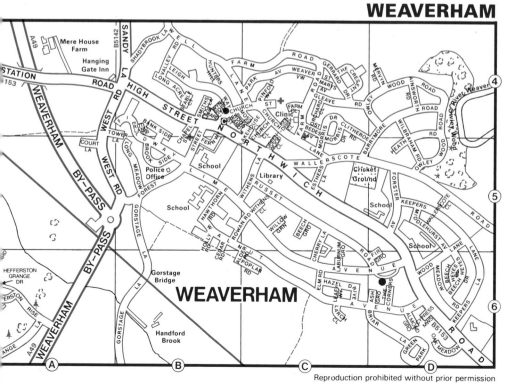

WEAVERHAM

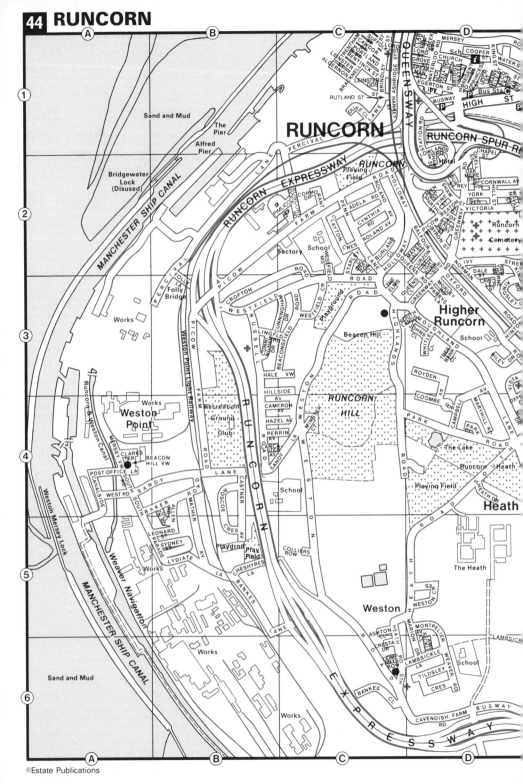

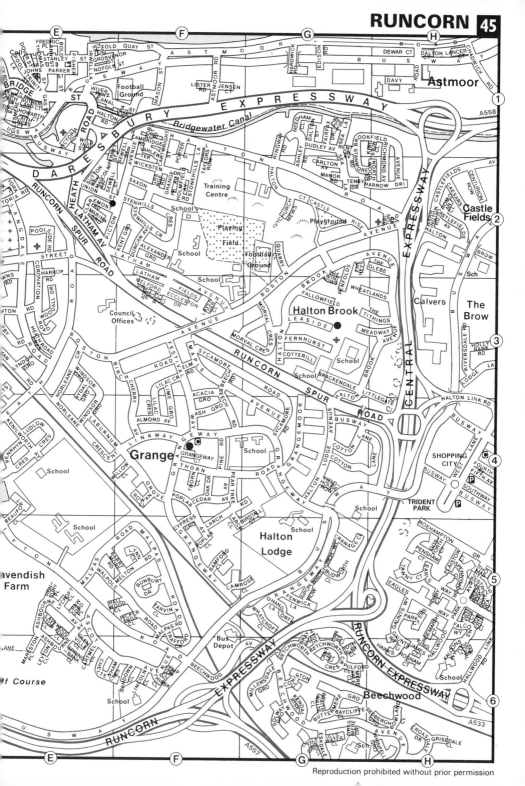

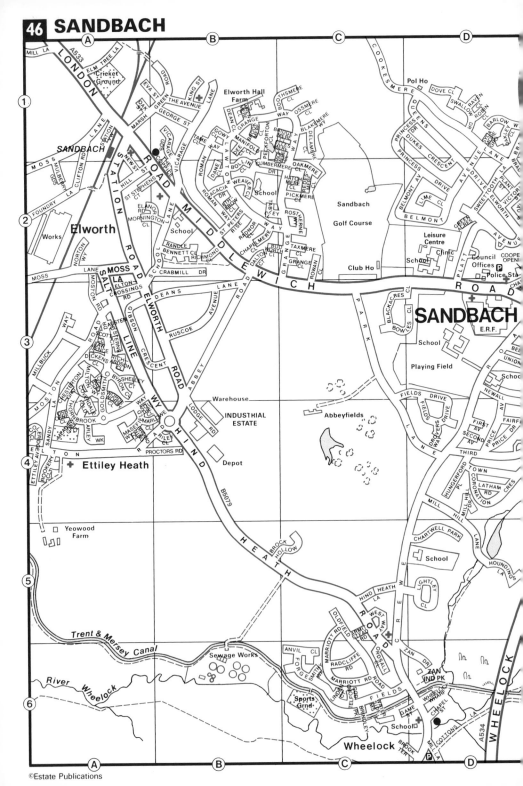

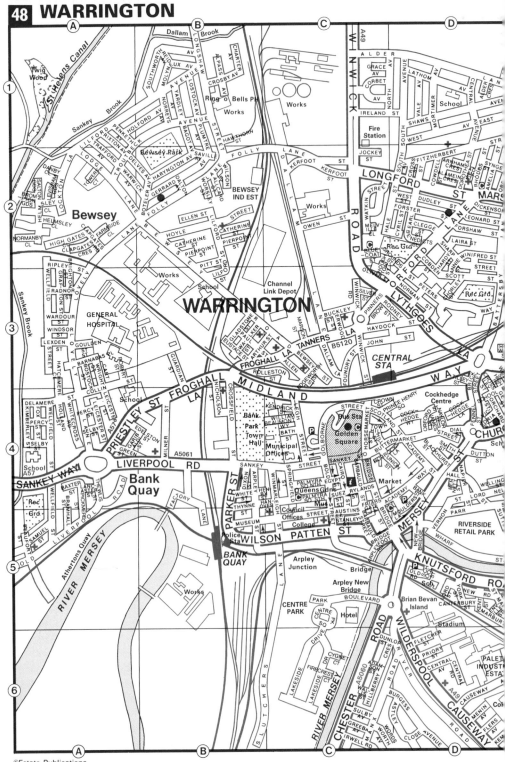

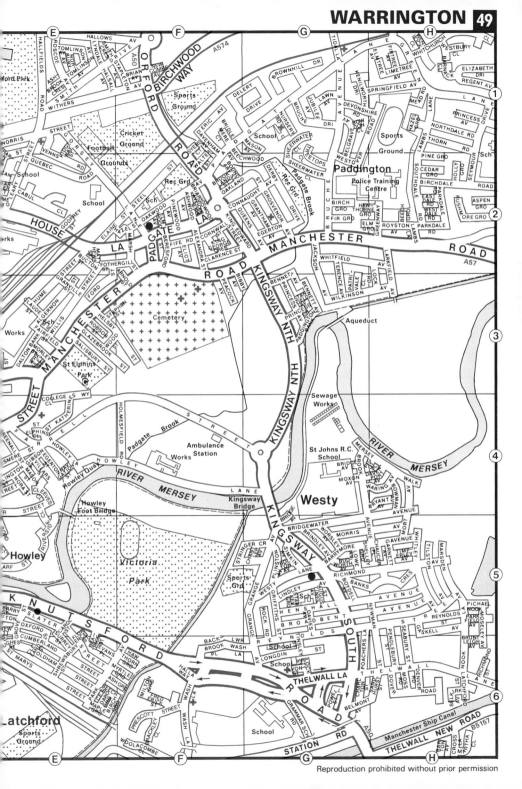

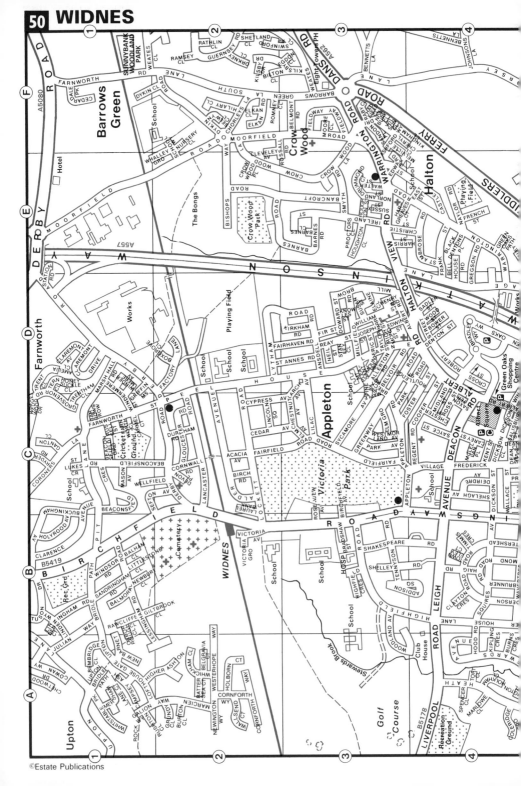

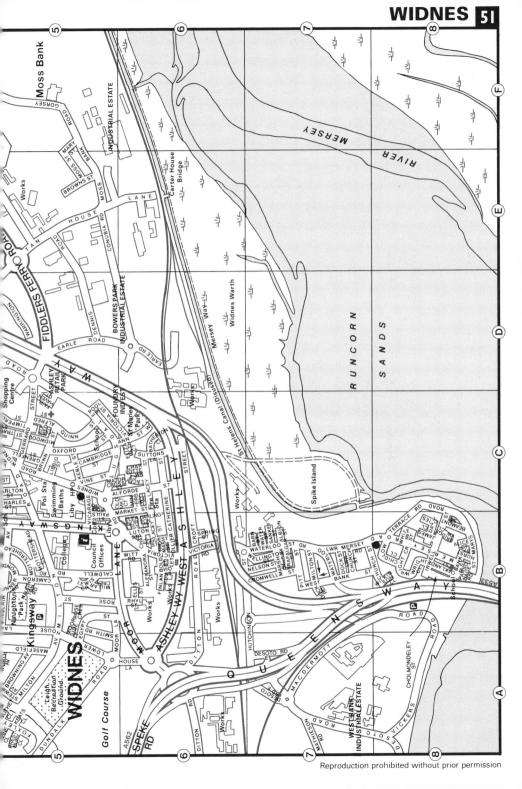

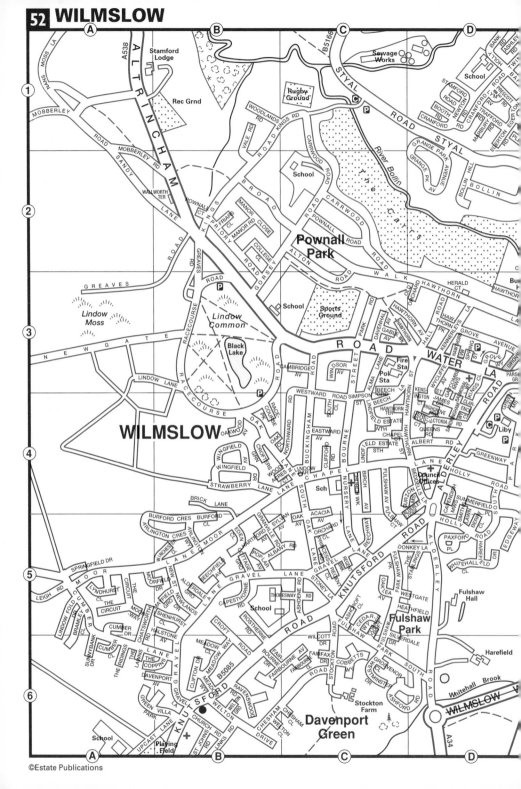

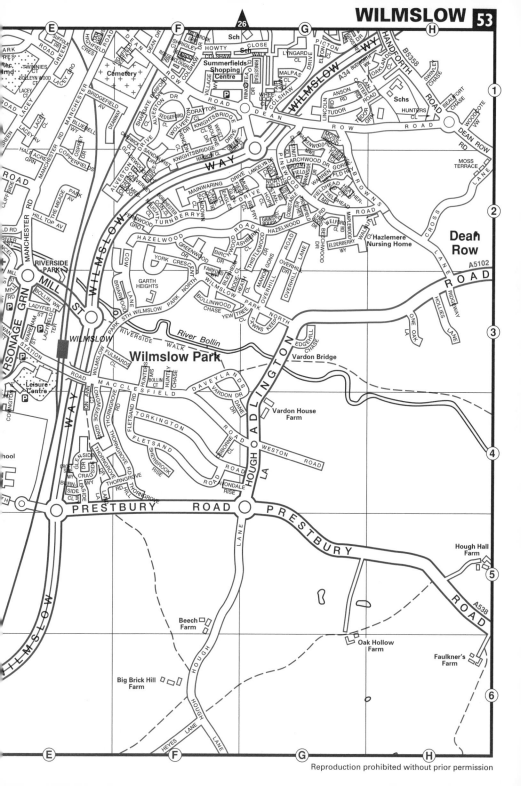

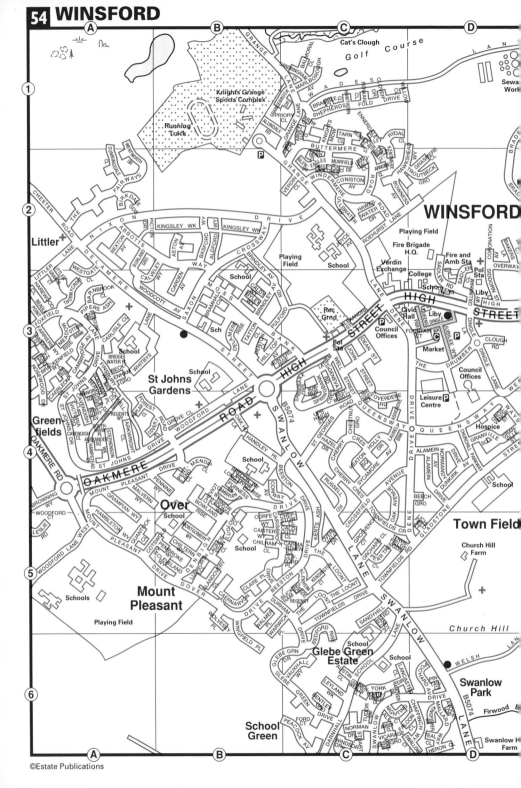

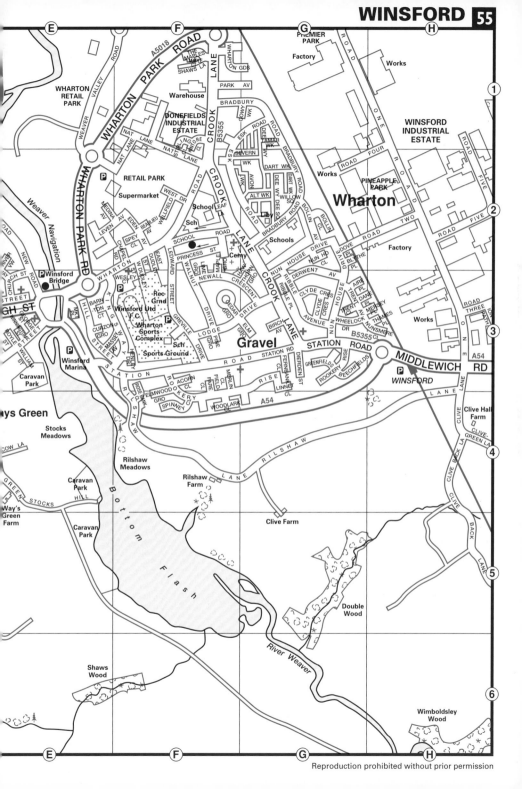

Westminster Rd. WA15 13 F4
Whalley Rd. WA15 13 F5
White Gates Clo. WA15 13 G2
Whiteley Pl. WA14 12 D1
*William Wk, Tipping St. WA14 12 D4
Willow Bank. WA15 13 F1
Willow Tree Rd. WA14 12 D4
Wimbledon Lawns. WA14 12 C4
Winchester Rd. WA15 13 H6
Wingate Dri. WA14 13 G2
Winton Ct. WA14 12 C4
Winton Rd. WA14 12 C4
Woburn Dri. WA15 13 H5
Wolsey Dri. WA14 12 A6
Wood La. WA15 13 G2
Wood Mount. WA15 13 G2
Wood St. WA14 12 D3
Woodhead Dri. WA15 13 F6
Woodhead Rd. WA15 13 F6
Woodlands La. WA15 13 E2
Woodlands Parkway. WA15 13 E1
Woodlands Rd. WA15 12 D2
Woodvale. WA14 12 C5
Woodville Rd. WA14 12 B3
Wychwood. WA14 12 B6
Yarwood St. WA14 12 D4
Yeoford Dri. WA14 12 B1
York Dri. WA14 12 C6
York Rd. WA14 12 B6
York St. WA15 12 D3

BARNTON

Alamein Rd. CW8 10 A4
Ashwood Clo. CW8 10 B4
Ashwood Cres. CW8 10 B5
Astbury Clo. CW8 10 A4
Blackcroft Av. CW8 10 A6
Bracken Way. CW8 10 C5
Broadway. CW8 10 B5
Broomsfield La. CW8 10 A4
Canalside. CW8 10 B6
Cedar Dri. CW8 10 B4
Central Dri. CW8 10 A5
Cherry Tree Av. CW8 10 B4
Cherrywood Cres. CW8 10 B4
Chestnut Gro. CW8 10 B4
Church Rd. CW8 10 B5
Churchfields. CW8 10 C5
Cogshall La. CW9 10 D4
Coronation Gro. CW8 10 A4
Crocus St. CW8 10 B5
Cross St. CW8 10 B5
Daisy Bank La. CW8 10 C5
Elmwood Rd. CW8 10 B4
Emmett St. CW8 10 B5
Fair Vw Clo. CW8 10 A5
Faraday Rd. CW8 10 D6
Fir Tree Clo. CW8 10 B4
George St. CW8 10 B5
Goodwood Clo. CW8 10 B5
Grange Av. CW8 10 B5
Grange Rd. CW8 10 A5
Green Av. CW8 10 A5
Hawthorne Gro. CW8 10 A4
Hayes Dri. CW8 10 C5
Hazelwood Clo. CW8 10 B4
Hickson St. CW8 10 B5
Highbank Clo. CW8 10 B5
Hilltop. CW8 10 B5
Hindley Cres. CW8 10 B5
Hough La. CW9 10 B4
Larch Tree Clo. CW8 10 B4
Laurel Clo. CW8 10 A4
Leighs Brow. CW8 10 A5
Limewood Cres. CW8 10 B4
Limewood Gro. CW8 10 B4
Lydyett La. CW8 10 B5
Manor Dri. CW8 10 B6
Maple Gro. CW8 10 B4
Marbury Rd. CW9 10 D4
Meadow Dri. CW8 10 A4
Mond St. CW8 10 B5
New Rd. CW9 10 D5
Nursery Clo. CW8 10 B5

Oaktree Clo. CW8 10 B4
Oakwood La. CW8 10 A6
Old Rd. CW8 10 D5
Orchard Clo. CW8 10 B5
Pinetree Clo. CW8 10 B4
Plumbs Fold. CW8 10 A6
Princes Pk. CW8 10 B5
Rays Brow. CW8 10 B6
Redwood Clo. CW8 10 B4
Rose Bank Wk. CW8 10 A4
Rowan Rise. CW8 10 A5
Runcorn Rd. CW8 10 A4
School Dri. CW8 10 A5
Snowdon St. CW8 10 A5
Solvay Rd. CW8 10 D6
Soot Hill. CW8 10 C5
Spencer St. CW8 10 B5
Springfield Cres. CW8 10 A4
Stone Heyes La. CW8 10 B4
Sweetbriar La. CW8 10 B4
Sycamore Cres. CW8 10 B4
The Dingle. CW8 10 B4
The Mews. CW8 10 B6
The Poplars. CW8 10 C5
Townfield Ct. CW8 10 B5
Townfield La. CW8 10 A4
Tunnel Rd. CW8 10 B6
Wade Cres. CW8 10 B4
Waters Edge. CW9 10 D5
Westfield Gro. CW8 10 A4
Wheatfield Clo. CW8 10 A5
Whitehall Clo. CW8 10 B4
Whitley Av. CW8 10 B5
Willow Gro. CW8 10 B4
Winnington La. CW8 10 C6
Woodlands Gro. CW8 10 A5
Yew Tree Dri. CW8 10 B4

BLACON

Aberdaron Dri. CH1 14 B4
Adelaide Rd. CH1 14 A3
Alderley Pl. CH1 14 C1
Aragon Grn. CH1 14 B1
Archers Way. CH1 14 D4
Ashfield Cres. CH1 14 B2
Ashmuir Clo. CH1 14 A3
Auckland Rd. CH1 14 B3
Ballerat Way. CH1 14 B3
Barnes Clo. CH1 14 C1
*Beechmuir, Rawston Rd. CH1 14 B4
Belvedere Dri. CH1 14 C3
*Birchmuir, Muir Rd. CH1 14 B4
Blacon Av. CH1 14 C2
Blacon Hall Rd. CH1 14 D3
Blacon Point Rd. CH1 14 B4
Blake Clo. CH1 14 C1
Boleyn Clo. CH1 14 B1
Brentwood Rd. CH1 14 C2
Bridgeman Rd. CH1 14 C4
Brisbane Rd. CH1 14 A3
Bristol Clo. CH1 14 A3
Browning Clo. CH1 14 C1
Bumpers La. CH1 14 C6
Burns Way. CH1 14 C1
Burton Rd. CH1 14 B2
Byron Clo. CH1 14 B2
Cadnant Clo. CH1 14 B4
Cairns Cres. CH1 14 B3
Canberra Way. CH1 14 B3
Canterbury Rd. CH1 14 D2
Carlisle Rd. CH1 14 C2
Carmel Clo. CH1 14 B4
Cavalier Dri. CH1 14 B1
Cedar Mws. CH1 14 B4
Cemlyn Clo. CH1 14 B4
Chantry Clo. CH1 14 B5
Chaser Ct. CH1 14 D4
Chaucer Clo. CH1 14 C1
Chelford Clo. CH1 14 C6
Chevron Clo. CH1 14 B3
Chevron Hey. CH1 14 B3
Church Hall Clo. CH1 14 B3
Church Way. CH1 14 B2
Cleves Clo. CH1 14 B1
Clifton Dri. CH1 14 A4
Coleridge Clo. CH1 14 D2
Cotes Pl. CH1 14 C4
Crabwall Pl. CH1 14 C2
Cyman Clo. CH1 14 B4
Dalton Clo. CH1 14 B4

Darwin Rd. CH1 14 A3
Dentith Dri. CH1 14 B2
Dinas Clo. CH1 14 A4
Donne Pl. CH1 14 D1
Downham Pl. CH1 14 C3
Durham Rd. CH1 14 C2
Dyserth Rd. CH1 14 B4
Egerton Rd. CH1 14 B2
Elliot Ho. CH1 14 D2
*Elmuir, Rawston Rd. CH1 14 B4
Embassy Clo. CH1 14 A3
Exeter Pl. CH1 14 C2
Fernhill Rd. CH1 14 C1
Ferry La. CH1 14 A6
Fisher Rd. CH1 14 B3
Fowler Rd. CH1 14 B3
Foxcote Clo. CH1 14 B2
Furne Rd. CH1 14 B3
Glenside Clo. CH1 14 A2
Graham Rd. CH1 14 C1
Greyhound Pk Rd. CH1 14 D5
Griffin Clo. CH1 14 C2
Hadrian Dri. CH1 14 B1
Hafod Clo. CH1 14 A4
Harford Way. CH1 14 D6
Harthill Rd. CH1 14 C1
Hatton Rd. CH1 14 B2
Hereford Pl. CH1 14 D2
Hermitage Rd. CH1 14 A1
Highfield Rd. CH1 14 A2
Hillside Rd. CH1 14 B3
Hobart Way. CH1 14 B3
Housman Clo. CH1 14 D2
Imperial Av. CH1 14 A3

INDUSTRIAL & RETAIL:
Chester Retail Pk. CH1 14 D5
Chester West Employment Pk. CH1 14 B5
Greyhound Pk. CH1 14 C4
Sealand Ind Est. CH1 14 D5
Stadium Ind Est. CH1 14 C4

Jonathans Way. CH1 14 B2
Jupiter Rd. CH1 14 C5
Keats Ter. CH1 14 D2
Kingswood La. CH1 14 A1
Kipling Clo. CH1 14 C5
Knutsford Way. CH1 14 C5
Leaside Rd. CH1 14 B1
Lichfield Rd. CH1 14 C2
Lincoln Rd. CH1 14 C2
Lloyd Pl. CH1 14 B3
Longdale Dri. CH1 14 A2
Ludlow Rd. CH1 14 D2
Lynwood Rd. CH1 14 C2
Maitland Way. CH1 14 A3
Malvern Rd. CH1 14 D3
Marlowe Clo. CH1 14 D2
Masefield Dri. CH1 14 C1
Mayfield Rd. CH1 14 B4
Melbourne Rd. CH1 14 A3
Melverley Dri. CH1 14 A3
Mercury Clo. CH1 14 B5
Meynell Pl. CH1 14 D2
Milton Clo. CH1 14 C1
Minerva Av. CH1 14 B5
Morgan Clo. CH1 14 C1
Morton Rd. CH1 14 B3
Mostyn Pl. CH1 14 C1
Muir Rd. CH1 14 B4
Naomi Clo. CH1 14 B2
Nant Peris. CH1 14 A4
Nevin Rd. CH1 14 A4
Normandy Way. CH1 14 C2
Norris Rd. CH1 14 B4
Oakfield Rd. CH1 14 A3
Onslow Rd. CH1 14 A3
Overwood La. CH1 14 A3
Owen Clo. CH1 14 C1
Palatine Clo. CH1 14 B1
Palgrave Clo. CH1 14 D2
Park West. CH1 14 C5
Parkgate Rd. CH1 14 D1
Penmon Clo. CH1 14 A4
Phillips Rd. CH1 14 B2
Provan Way. CH1 14 B2
Pulford Rd. CH1 14 B4
Rawson Rd. CH1 14 B4
Rhuddlan Rd. CH1 14 B4
Roman Dri. CH1 14 B1

*Rosebourne Rise, Adelaide Rd. CH1 14 A3
St Chads Rd. CH1 14 C3
Saughall Rd. CH1 14 B4
Saxon Way. CH1 14 B1
Sealand Rd. CH1 14 A4
Shelley Rd. CH1 14 C1
Sherwood Rd. CH1 14 C2
*Silvermuir, Rawston Rd. CH1 14 B4
Southway. CH1 14 C3
Sovereign Way. CH1 14 B5
Springwood Clo. CH1 14 A3
Stamford Rd. CH1 14 B2
Stearns Clo. CH1 14 D2
Stendall Rd. CH1 14 D5
Stratford Rd. CH1 14 B3
Stubbs Pl. CH1 14 C4
Sumner Rd. CH1 14 C3
Sylvan Mews. CH1 14 C1
Tennyson Wk. CH1 14 D2
The Close. CH1 14 A4
The Glen. CH1 14 C2
The Parade. CH1 14 B2
The Quad. CH1 14 B5
Thomas Clo. CH1 14 C1
Treborth Rd. CH1 14 A4
Tregele Clo. CH1 14 B4
Tudor Grn. CH1 14 B1
Venables Rd. CH1 14 C3
Virginia Dri. CH1 14 A3
Walton Pl. CH1 14 B3
Warwick Rd. CH1 14 C2
Wavertree Rd. CH1 14 A2
Wemyss Rd. CH1 14 A4
Westbourne Rd. CH1 14 D3
Western Av. CH1 14 A4
Willan Rd. CH1 14 B3
Willow Dri. CH1 14 B2
Winsford Way. CH1 14 C5
Woodside Rd. CH1 14 A2
Worcester Pl. CH1 14 C3
Wordsworth Cres. CH1 14 D2
Wordsworth Mws. CH1 14 D2
Wyndham Rd. CH1 14 A3

BOLLINGTON

Adlington Rd. SK10 15 D1
Adshead Ct. SK10 15 E2
Albert Rd. SK10 15 B2
Allen St. SK10 15 E2
Archer Clo. SK10 15 B3
Ashbrook Rd. SK10 15 A4
Ball La. SK10 15 A4
Bamford Clo. SK10 15 D3
Barnfield Rd. SK10 15 C3
Beechway. SK10 15 D3
Beeston Brow. SK10 15 E1
Beeston Clo. SK10 15 E1
Beeston Mount. SK10 15 E1
Beristall Rise. SK10 15 E1
Birchway. SK10 15 D2
Bishop Rd. SK10 15 D3
Blaze Hill. SK10 15 F2
Bollington Rd. SK10 15 A4
Calder Clo. SK10 15 C2
Cedarway. SK10 15 D3
Chancery La. SK10 15 D3
Chapel St. SK10 15 E2
Charter Rd. SK10 15 D3
Cheshire Vw. SK10 15 E3
Church Mws. SK10 15 E2
Church St. SK10 15 E2
Clarence Rd. SK10 15 D2
Clarence Ter. SK10 15 D1
Clarke La. SK10 15 A4
Clough Bank. SK10 15 C3
Cocksheadhey Rd. SK10 15 F1
Consort Clo. SK10 15 B3
Coope Rd. SK10 15 B3
Cow La. SK10 15 E2
Crossfield Rd. SK10 15 E2
Cumberland Dri. SK10 15 E2
Dawson Rd. SK10 15 D3
Dean Clo. SK10 15 D3
Dumbah La. SK10 15 A4
East Av. SK10 15 B3
Elmsway. SK10 15 D2
Endon Av. SK10 15 D3

Fairfield Av. SK10 15 D2
Fern Bank Rise. SK10 15 E2
Field Clo. SK10 15 C3
Flash La. SK10 15 A3
Foundry St. SK10 15 E2
Foxglove Clo. SK10 15 F2
Garden St. SK10 15 C2
Gleave Av. SK10 15 D2
Green La. SK10 15 E1
Greenbank Dri. SK10 15 D2
Greenfield Rd. SK10 15 D3
Greg Av. SK10 15 B2
Grimshaw Av. SK10 15 D3
Grimshaw La. SK10 15 C3
Hall Hill. SK10 15 B3
Hamson Dri. SK10 15 E1
Harrop Rd. SK10 15 E2
Hartley Grn. SK10 15 E2
Hawthorn Rd. SK10 15 C2
Hazelhurst Dri. SK10 15 B3
Heath Rd. SK10 15 B3
Henshall Rd. SK10 15 B3
High Ct. SK10 15 E2
High St. SK10 15 E2
Higher La. SK10 15 E4
Highfield Rd. SK10 15 D2
Hill Vw. SK10 15 C3
Hillcrest Rd. SK10 15 C3
Hollin Rd. SK10 15 D3
Hurst La. SK10 15 D2
Ingersley Rd. SK10 15 E2
Irwell Rise. SK10 15 C2
Jackson La. SK10 15 D3
John St. SK10 15 E2
Kent Av. SK10 15 B4
Kingsway. SK10 15 B3
Ledley St. SK10 15 C3
Lodge Brow. SK10 15 D1
London Rd. SK10 15 A4
Long La. SK10 15 E1
Lord St. SK10 15 E2
Lowther St. SK10 15 E1
Market Pl. SK10 15 E2
Mill Cotts. SK10 15 E2
Mill La. SK10 15 F2
Moss Brow. SK10 15 B3
Moss La. SK10 15 B3
Mount Pleasant. SK10 15 E1
Nab Clo. SK10 15 F1
Nab La. SK10 15 F1
Nancy Vw. SK10 15 E2
Nursery Rd. SK10 15 B3
Oak Bank Dri. SK10 15 E1
Oak La. SK10 15 E2
Oakenbank La. SK10 15 F2
Oldham St. SK10 15 E2
Oliver Clo. SK10 15 B2
Ovenhouse La. SK10 15 B3
Palmerston St. SK10 15 D2
Park St. SK10 15 E2
Poplar Gro. SK10 15 D2
Princess Dri. SK10 15 B3
Princess St. SK10 15 C3
Queen St. SK10 15 E2
Queens Clo. SK10 15 B3
Rainow Vw. SK10 15 F1
Redway La. SK10 15 E3
Ridley Rd. SK10 15 B2
Riverbank Clo. SK10 15 C2
Robins Way. SK10 15 D3
Rose Bank. SK10 15 C3
Round Gdns. SK10 15 D2
Sandy Clo. SK10 15 C3
Shrigley Rise. SK10 15 F1
Shrigley Rd. SK10 15 E1
Silver St. SK10 15 F2
Smithy Brow. SK10 15 F2
South West Av. SK10 15 B4
Sowcar Way. SK10 15 E2
Spinners Way. SK10 15 C3
Springbank. SK10 15 B3
Spuley La. SK10 15 F1
Store St. SK10 15 E2
Swanscoe Av. SK10 15 D3
The Silk Rd. SK10 15 A4
Thornway. SK10 15 D2
Turner Rise. SK10 15 E2
Turner St. SK10 15 E2
Vine St. SK10 15 E2
Ward Av. SK10 15 D2
Water St. SK10 15 E2
Waterhouse Av. SK10 15 C2
Wellington Rd. SK10 15 C2
West Clo. SK10 15 C3

Hillfields. CW12 19 E3
Hillfields Clo. CW12 19 E3
Hillsden Rise. CW12 19 G4
Holford St. CW12 19 E4
Holmes Chapel Rd. CW12 18 A3
Holmesville Av. CW12 18 C4
Hopkins Clo.. CW12 18 C3
Horace Lawton Ct. CW12 19 E3
Howey Hill. CW12 19 E5
Howey La. CW12 19 E4
Hulton Clo. CW12 19 H6
Hutton Dri. CW12 19 G4

INDUSTRIAL & RETAIL:

Congleton Business Pk. CW12 18 C2
Daneside Business Pk. CW12 19 F2
Eaton Bank Trading Est. CW12 19 F2
Greenfield Park Trading Est. CW12 18 C3
Greenfield Ind Est. CW12 18 C3
Radnor Pk Trading Est. CW12 18 B2
Riverside & Meadowside. CW12 19 E3

Isis Clo. CW12 19 G6
Ivy Gdns. CW12 18 D4
Jackson Rd. CW12 19 F1
Jersey Clo. CW12 19 H5
John St. CW12 18 D4
Johnson Clo. CW12 19 H5
Jubilee Rd. CW12 19 F4
Kelsall St. CW12 19 F4
Kendal Ct. CW12 18 B5
Kennet Dri. CW12 19 G5
Kent Dri. CW12 19 E2
Kestrel Clo. CW12 19 F5
Keswick Ct. CW12 18 B5
King St. CW12 19 F2
Kingfisher Clo. CW12 19 F6
Kingsley Rd. CW12 19 G4
Kinsey St. CW12 19 E4
Kirkstone Ct. CW12 18 B5
Laburnum Clo. CW12 18 B2
Lacy Ct. CW12 19 G4
Lake Vw. CW12 18 C4
Lamberts La. CW12 19 E5
Langdale Ct. CW12 18 B5
Lawton St. CW12 19 E4
Leamington Rd. CW12 18 A3
Leek Rd. CW12 19 G6
Leigh Rd. CW12 19 H2
Lenthall Av. CW12 19 F6
Lilac Ct. CW12 19 F4
Lime St. CW12 19 E4
Lime Tree Av. CW12 18 C4
Lindale Clo. CW12 19 H1
Linden Clo. CW12 19 H6
Linksway. CW12 19 F6
Linksway Clo. CW12 19 F6
Lion St. CW12 19 E4
Little St. CW12 19 E4
Littendale Clo. CW12 19 G1
Loachbrook Clo. CW12 18 B4
Longdown Rd. CW12 18 A3
Lowe Av. CW12 19 F4
Lower Heath. CW12 19 E2
Lower Heath Av. CW12 19 E2
Lower Pk St. CW12 19 F4
Lune Clo. CW12 19 G5
Lynalls Clo. CW12 18 A3
Macclesfield Rd. CW12 19 F1
Malhamdale Rd. CW12 19 G1
Mallory Ct. CW12 18 A3
Malvern Clo. CW12 18 A3
Manchester Rd. CW12 19 E1
Manor Clo. CW12 19 H5
Maple Clo. CW12 18 A2
Mardale Clo. CW12 19 H1
Market Sq. CW12 19 E4
Market St. CW12 19 E4
Marton Clo. CW12 19 E1
Maskery Pl. CW12 19 E3
Matthews Pl. CW12 19 G4
Maxwell Rd. CW12 19 H6
Meadow Av. CW12 18 D5
Meakin Clo. CW12 19 H5
Melton Clo. CW12 18 A3
Melton Dri. CW12 18 A3
Mereside Av. CW12 18 C4
Milk St. CW12 19 E3
Mill Green. CW12 19 E3
Mill St. CW12 19 F3
Mill St. CW12 19 E4
Minton Clo. CW12 19 H5
Moody St. CW12 19 E4
Moor St. CW12 19 F4
Morley Dri. CW12 19 H5
Moss Rd. CW12 19 G6
Mossley Ct. CW12 19 F6
Mossley Garth Clo. CW12 19 H5
Mountbatten Way. CW12 19 E3
Naseby Rd. CW12 18 B3
Nelson St. CW12 19 E4
New St. CW12 19 F5
Newby Ct. CW12 18 B5
Newcastle Rd. CW12 18 C6
Newlyn Av. CW12 19 F6
Newquay Ct. CW12 19 F6
Newton Pl. CW12 19 G4
Nidderdale Clo. CW12 19 H1
Norbury Dri. CW12 19 E2
Norfolk Rd. CW12 19 F2
North St. CW12 19 E3
Nursery La. CW12 19 F4
Oakleigh Ct. CW12 18 A3
Obelisk Way. CW12 18 D3
Orchard Way. CW12 18 B3
Oulton Dri. CW12 18 A3
Overton Clo. CW12 18 D3
Padgbury Clo. CW12 18 B5
Padgbury La. CW12 18 A4
Park Bank. CW12 19 F4
Park La. CW12 19 F4
Park Rd. CW12 19 E3
Park St. CW12 19 E4
Park St. CW12 19 F4
Park Vw. CW12 19 E3
Parnell Sq. CW12 19 G4
Parson St. CW12 18 D4
Partridge Clo. CW12 19 F5
Pavilion Way. CW12 18 C3
Pear Tree Bank. CW12 19 F5
Peel La. CW12 18 C6
Penrith Ct. CW12 18 B4
Pirie Clo. CW12 19 H2
Pirie Rd. CW12 19 H2
Poplar Clo. CW12 18 B2
Priesty Ct. CW12 19 E5
Priestyfields. CW12 19 E5
Princess St. CW12 19 E4
Prospect St. CW12 18 D4
Quayside. CW12 19 F5
Queen St, Buglawton. CW12 19 F3
Queen St, Congleton. CW12 18 D4
Quinta Rd. CW12 18 B4
Radnor Clo. CW12 18 C3
Redfern Av. CW12 19 G2
Ribblesdale Av. CW12 19 G1
River St. CW12 19 E3
Riverdane Rd. CW12 19 F2
*Rode Ct, Herbert St. CW12 19 F3
Roe St. CW12 19 F4
Rood Hill. CW12 19 E3
Rood La. CW12 19 E3
Rope Wk. CW12 19 E3
Roseville Dri. CW12 19 H6
Royle St. CW12 19 E3
Ruskin Rd. CW12 18 C4
Russell Clo. CW12 19 G6
Rutland Clo. CW12 19 E2
Rydal Ct. CW12 18 B5
St James Av. CW12 18 D4
St Johns Rd. CW12 19 G1
St Marys Ct. CW12 18 B4
St Peters Rd. CW12 19 F5
Salford Pl. CW12 19 E3
Sandbach Rd. CW12 18 A4
Sandy La. CW12 18 C4
School La. CW12 18 C6
Second Av. CW12 18 B2
Sefton Av. CW12 19 G5
Semper Clo. CW12 19 G2
Severn Clo. CW12 19 G5
Shakerley Av. CW12 19 G3
Sheldon Av. CW12 19 H5
Sherratt Clo. CW12 19 F4
Shop La. CW12 19 F5
Silk St. CW12 18 D4
Silver St. CW12 19 E4
Silvergate Ct. CW12 19 F6
Solly Cres. CW12 18 B4
Somerset Clo. CW12 19 E2
South St. CW12 19 E4
Southbank Gro. CW12 19 F4
Southlands Rd. CW12 19 G6
Spindle St. CW12 19 F4
Spragg St. CW12 19 F4
Spring St. CW12 19 F4
Springfield Dri. CW12 18 D3
Stonehouse Grn. CW12 19 E4
Stony La. CW12 18 D6
Stopsley Clo. CW12 18 A3
Suffolk Clo. CW12 19 E2
Surrey Dri. CW12 19 F2
Sussex Pl. CW12 19 F2
Swaledale Av. CW12 19 H1
Swan Bank. CW12 19 E4
Swan St. CW12 19 E4
Sycamore Av. CW12 18 A2
Tall Ash Av. CW12 19 H2
Tamar Clo. CW12 19 G5
*Tanner St. Kinsey St. CW12 19 C4
Telford Clo. CW12 19 H5
*Tetton Ct, Herbert St. CW12 19 F3
Thames Clo. CW12 19 F5
The Courtyard. CW12 18 C3
The Crescent. CW12 18 D4
The Meadows. CW12 19 E3
The Moorings. CW12 19 F5
The Mount. CW12 18 B4
The Parklands. CW12 19 G5
The Westlands. CW12 18 D4
Third Av. CW12 18 B2
Thirlmere Ct. CW12 18 B4
Thomas St. CW12 19 F4
Three Fields Clo. CW12 18 B3
Tidnock Av. CW12 19 E1
Tommys La. CW12 19 G3
Tower Hill Ct. CW12 18 C3
Townsend Rd. CW12 19 F4
Trinity Ct. CW12 19 H6
Trinity Pl. CW12 19 H6
Troutbeck Av. CW12 18 B4
Truro Clo. CW12 19 F6
Tudor Way. CW12 19 E5
Ullswater Rd. CW12 18 B5
Union Clo. CW12 19 E3
Union St. CW12 19 E3
Vale Wk. CW12 19 E4
Valley Vw. CW12 18 D3
Varey Rd. CW12 19 F2
Vaudrey Cres. CW12 19 G3
Vernon Av. CW12 19 F6
Wagg St. CW12 19 E4
Waggs Rd. CW12 18 D5
Walfield Av. CW12 19 E1
Walgrave Clo. CW12 18 B3
Wallworths Bank. CW12 19 F4
Walnut Rise. CW12 18 C4
Wellington Clo. CW12 19 E2
Wensleydale Av. CW12 19 G1
Wesley Ct. CW12 18 D4
West End Cotts. CW12 18 D4
West Rd. CW12 18 C4
West St. CW12 18 D4
Westholme Clo. CW12 18 C3
Westville Dri. CW12 18 B4
Wharfdale Rd. CW12 19 H1
Wharfe Clo. CW12 19 G5
Wilbraham Rd. CW12 19 G3
William St. CW12 19 G3
Willow St. CW12 19 F4
Wiltshire Dri. CW12 19 F2
Windermere Dri. CW12 18 B4
Windsor Pl. CW12 19 G4
Wolstanholme Clo. CW12 19 F6
Wood St. CW12 19 E3
Woodland Av. CW12 19 E3
Woodland Pk. CW12 18 D3
Woolston Av. CW12 19 G4
Worrall St. CW12 19 E4
Worsley Dri. CW12 19 H5

CREWE

Abbey Pl. CW1 21 E1
Acacia Cres. CW1 21 F1
Addison Clo. CW2 20 B6
Adelaide St. CW1 20 D2
Adlington Rd. CW2 20 B4
Alban St. CW1 20 D2
*Albert St, Meredith St. CW1 21 E2
Albion St. CW2 20 C3
Aldersey Rd. CW2 20 B4
*Alexandra Pl, Grosvenor St. CW1 20 D2
Allen Pl. CW1 20 D2
Alma Av. CW1 21 E1
Alton St. CW2 20 B3
Alvaston Wk. CW2 20 A4
Ambleside Clo. CW2 20 A4
Ambuscade Clo. CW1 21 F2
Amy St. CW2 20 D3
Anderson Clo. CW1 21 H2
Arderne Av. CW2 20 B4
Arley Pl. CW2 20 B6
*Arthur St, Nantwich Rd. CW2 21 F5
Artle Rd. CW2 20 D6
Ash Rd. CW1 21 F1
Ashmuir Clo. CW1 20 D1
Atholl Av. CW2 21 E5
Audley St. CW1 21 E2
Audley St West. CW1 21 E2
Avon Dri. CW1 21 H1
Badger Av. CW1 20 B1
Badgers Wood. CW2 20 A6
Balmoral Av. CW2 20 D6
Barker St. CW2 21 E5
Barnabas Av. CW1 20 B1
Barnett Wk. CW2 21 E6
Barrie Gro. CW1 21 G3
Basford Rd. CW2 21 F6
Batemans Ct. CW2 20 D6
*Beaumont Clo, Milton Dri. CW2 20 B6
Bedford Ct. CW2 21 E5
Bedford Gdns. CW2 21 E6
Bedford Pl. CW2 20 D5
Bedford St. CW2 21 E5
Beech Dri. CW2 20 A5
Beech Gro. CW1 21 G2
Beech St. CW1 21 E2
Beech St East. CW1 21 E2
*Beech St West, Hightown. CW1 20 D2
Belgrave Rd. CW2 20 C4
Bennett Clo. CW1 21 G3
Bentley Dri. CW1 21 H2
Betjeman Way. CW1 21 G1
Betley St. CW1 21 E3
Bilton Way. CW2 20 A2
Binyon Way. CW1 21 H3
Birch Av. CW1 21 G2
Birch Clo. CW1 21 G2
Birchmuir Clo. CW1 20 D1
Blake Clo. CW2 20 B6
Bowen Cooke Av. CW1 20 B1
Bowen St. CW2 20 C3
Bowness Rd. CW2 20 A4
Bramhall Rd. CW2 20 A4
Bray Clo. CW1 21 G2
Brereton Clo. CW2 20 A4
Bridle Rd. CW2 20 D3
Brierley St. CW1 21 F3
Briggs Av. CW2 21 E6
Bright St. CW1 20 D2
Broad St. CW1 20 D2
Brook Clo. CW1 21 G3
Brook House Dri. CW2 21 E6
Brook St. CW2 21 E4
Brookdale Pk. CW2 20 B3
Brooklands Gro. CW1 20 C1
Brooklyn St. CW2 21 E4
Broom St. CW1 20 C1
Broughton La. CW2 20 B6
Browning St. CW1 20 D2
Brownlees Clo. CW2 20 C5
Broxton Dri. CW2 20 C5
Buchan Gro. CW2 20 C4
Bulkeley St. CW1 21 G3
Burjen Way. CW1 20 D1
Burlea Clo. CW2 20 A2
Burns Dri. CW1 21 G3
Buxton Av. CW1 21 G3
Byron Clo. CW1 21 G3
Byron Way. CW2 20 B6
Calder Av. CW1 21 H1
*Camden St, Earle St. CW1 21 F3
Camm St. CW2 21 E5
Capenhurst Av. CW2 20 B4
Capesthorne Rd. CW2 20 A4
Carlisle St. CW2 20 D5
Carroll Dri. CW2 20 B6
Casson St. CW1 20 D2
Castle St. CW1 20 D3
Catherine St. CW2 21 E5
Cavendish Rd. CW2 20 A2
Chambers St. CW2 21 E5
*Chantry Ct, Prince Albert St. CW1 21 E3
Chapel St. CW2 21 E4
*Charles St, Victoria St. CW1 21 E3
Charlesworth St. CW1 21 F1
Chell St. CW1 20 C2
Chester Sq. CW1 21 E3
Chester St. CW1 21 E3
Chesterton Dri. CW2 20 B6
Chestnut Gro. CW1 21 F2
Chetwode St. CW1 21 E2
Christchurch Av. CW2 20 C5
Church La. CW2 20 A6
Clare Dri. CW2 20 B6
Claremont Rd. CW2 20 D5
Clarence Gro. CW1 20 D2
Claughton Av. CW2 21 E6
Clifton Av. CW2 20 D4
Clifton St. CW2 20 D4
Clyde Gro. CW2 20 C4
Clydesdale Av. CW2 20 C4
Coleridge Way. CW1 21 G2
College Fields. CW2 20 C5
Collinbrook Av. CW2 20 D6
Collins St. CW2 20 C3
Conrad Clo. CW1 21 G2
Coppenhall Gro. CW2 20 C3
Coppenhall Heyes. CW2 20 C3
Coppenhall La. CW2 20 A2
Coppicemere Dri. CW1 21 H4
Cormorant Clo. CW1 21 G2
Cornwall Gro. CW1 20 C2
Coronation Cres. CW1 21 F1
Coronation St. CW1 21 F2
Cotterill St. CW2 21 E5
Cowley Way. CW1 21 G5
Crabtree Gro. CW1 21 G1
Cranage Rd. CW2 20 B4
Cranborne Rd. CW1 21 E1
Crewe Green Rd. CW1 21 H4
Crewe Rd. CW1 21 G4
Crewe St. CW1 21 E3
*Cross St, High St. CW2 21 E3
Crossville St. CW1 21 F2
Culland St. CW2 21 E5
Cumberland Clo. CW1 21 F2
Dairy House Way. CW2 20 B5
Dale St. CW1 20 C1
Dane Bank Av. CW2 20 B5
Dappleheath Rd. CW2 20 C5
Darley Av. CW2 20 C4
Darlington Av. CW1 20 B1
Davenham Cres. CW2 20 B3
Davenport Av. CW2 21 E6
Delamere St. CW1 20 D3
Denston Clo. CW2 20 C6
Denver Av. CW2 20 D4
Derby St. CW1 20 C2
Derrington Av. CW2 21 E4
Dewes St. CW1 20 D2
Doddington Rd. CW2 20 C4
Dorfold St. CW1 21 E3
Drayton Cres. CW1 21 G2
Drury Clo. CW1 21 G2
Dryden Clo. CW2 20 B6
Duchy Rd. CW1 21 H6
Duke St. CW2 20 D3
Dutton Way. CW1 18 C1
Eardley Pl. CW1 20 D2
Earle St. CW1 21 E3
Eaton St. CW2 21 E3
Edleston Rd. CW2 21 E4
Edward St. CW2 21 E5
Eleanor Clo. CW1 20 B2
Electra Way. CW1 21 H4
Electricity St. CW2 21 E4
Eliot Clo. CW1 21 H2
Elizabeth St. CW1 20 D2

*Ellesmere Pl,
St Judes Clo. CW1 20 D1
Ellis St. CW1 20 D1
Elm Clo. CW2 20 A5
Elm Dri. CW1 21 F1
Empress Dri. CW2 20 D4
Englesea Gro. CW2 20 C2
Ennerdale Rd. CW2 20 A4
Ernest St. CW2 21 E5
Fairbrook. CW2 20 A5
Fairburn Av. CW2 20 B2
Fallowfield Ct. CW1 20 C1
Fanshawe Wk. CW2 21 E6
Farmer Clo. CW2 20 B3
Fern Bank Clo. CW1 21 G3
Fern Ct. CW1 21 G3
Field Av. CW2 20 B5
Field La. CW2 20 A5
First Av. CW1 21 G5
Flag La. CW1 20 D4
Fletcher St. CW1 20 D2
Flixton Dri. CW2 20 B5
Ford Clo. CW1 20 D1
Ford La. CW1 20 D1
Forge St. CW1 21 E3
Foulkes Av. CW1 20 B1
Fourth Av. CW1 21 G6
Frances St. CW2 21 E5
Frank Webb Av. CW1 20 C2
Franklyn Av. CW2 20 C4
Fulbeck Clo. CW2 20 C6
Furber St. CW1 21 E2
Furnival St. CW2 21 E5
Gainsborough Rd.
CW2 20 C4
Gatefield St. CW1 21 E3
Gateway. CW1 21 G4
Gawsworth Av. CW2 20 B4
*Gladstone St,
Beech St. CW1 21 E2
Glover St. CW1 20 C1
Goddard St. CW1 20 C2
Goulden St. CW1 20 C2
Grand Junction Way.
CW1 21 F3
Grange Clo. CW1 21 G3
Grasmere Av. CW2 20 A2
Greenacres. CW1 21 E1
Greendale Gdns.
CW1 21 G1
Gresty Rd. CW2 21 F5
Gresty Ter. CW1 21 G3
Greystone Pk. CW1 21 F2
Grosvenor St. CW1 20 D2
Guillemot Clo. CW1 21 H2
Hall o Shaw St. CW1 21 F3
Hallshaw Av. CW1 21 G2
Hammond St. CW2 21 E4
Handforth Rd. CW2 20 A4
Harding St. CW1 21 F2
Hardwicke Ct. CW1 21 G3
Hargrave Av. CW2 20 B4
Harrow Clo. CW2 20 C5
Haslemere Way. CW1 21 E1
Hawthorn La. CW2 20 A5
Heath St. CW1 21 E3
Heathergate Pl. CW2 20 B6
Heathfield Av. CW1 20 D2
Helmsdale Clo. CW1 20 D1
Hendon Clo. CW1 21 G2
Henry St. CW1 21 E2
Herald Pk. CW1 21 F4
Herbert St. CW1 21 H1
Herdman St. CW2 21 E4
Heron Cres. CW1 21 H2
Hewitt St. CW2 21 F5
Heywood Grn. CW2 21 E6
High St. CW2 21 E3
Hightown. CW1 20 D2
Hill St. CW1 21 E3
Hillside Dri. CW1 21 F2
Holland St. CW1 20 D1
Holmea Dri. CW1 21 G3
Holt St. CW1 20 D3
Hope St. CW2 21 E5
Hospital St. CW1 21 E1
Howard St. CW1 21 H1
Hughes Dri. CW2 20 B2
Hulme St. CW1 20 B2
Hungerford Av. CW1 21 G3
Hungerford Rd. CW1 21 F3
Hungerford Ter. CW1 21 G3
INDUSTRIAL & RETAIL:
Crewe Business Pk.
CW1 21 H4
Crewe Gates Farm
Ind Est. CW1 21 H5
Grand Junction
Retail Pk. CW1 21 F3
Weston Rd Ind Est.
CW1 21 G5
Jackson St. CW1 20 C1
Jesmond Cres. CW2 20 C4
John St. CW1 21 E2
Jubilee Av. CW2 20 C4
Keats Dri. CW2 20 C6
Kemble Clo. CW2 20 D6
Keswick Clo. CW2 20 A4
Kettell Av. CW1 20 B1
King St. CW1 21 F3
Kingsway. CW2 20 D4
Kinloch Clo. CW1 20 C1
Kipling Way. CW1 21 G2
Laburnum Av. CW2 20 A5
Laburnum Gro. CW1 21 F1
Lancaster Fields. CW1 21 H5
Lansdown Rd. CW1 21 G2
Larch Rd. CW2 20 A5
Latimer Dri. CW1 20 C3
Laura St. CW2 21 F6
Laurel Dri. CW2 20 B5
Laureston Av. CW1 21 H2
Lawrence St. CW1 21 E3
Lawton St. CW2 21 E4
Lea Av. CW1 21 G3
Lear Dri. CW2 20 B6
Leighton St. CW1 20 C2
Lewis St. CW2 20 D3
Lime Tree Av. CW1 21 G1
Lincoln St. CW1 20 D2
Linden Dri. CW1 21 G3
Lockitt St. CW2 21 E4
*Longford St.
Nantwich Rd. CW2 21 E5
Lord St. CW2 21 E4
Ludford St. CW1 21 E2
Ludlow Av. CW1 21 G4
Lunt Av. CW2 20 D5
Lydgate Clo. CW2 20 B6
Lynbrook Rd. CW1 21 G3
Lyncroft Clo. CW1 21 G4
Lyon St. CW1 21 E3
McNeill Av. CW1 20 B2
Macon Ct. CW1 21 F4
Macon Way. CW1 21 F4
Madeley St. CW2 21 E5
Magdalen Ct. CW2 20 B6
Malory Clo. CW1 21 G2
Manning St. CW2 21 F5
Manor Av. CW2 20 C6
Manor Ct. CW2 20 D6
Manor Way. CW2 20 D6
March St. CW1 21 F2
Market Sq. CW1 21 E3
Market St. CW1 21 E2
Market St. CW1 21 E3
Marlowe Clo. CW2 20 B6
Marple Cres. CW2 20 A4
Mary St. CW1 21 F2
Masefield Dri. CW1 21 G3
Mavor Ct. CW1 20 D3
Maxwell St. CW2 21 E4
Mayfield Mws. CW1 20 B1
Mellor St. CW1 21 E1
Mere Brook Wk. CW2 21 E6
Merebank Rd. CW2 20 C5
Meredith St. CW1 21 E2
Merrills Av. CW2 20 A2
Merrivale Rd. CW2 20 C6
Meynell Clo. CW2 20 B6
Micklewright Av. CW1 21 E1
Middlewich St. CW1 21 E2
Mill Bridge Clo. CW1 21 H3
Mill St. CW2 21 E4
Millrace Dri. CW2 20 C6
Milne Clo. CW2 20 B6
Milton Dri. CW2 20 B6
Minshull New Rd.
CW1 20 B1
Mirion St. CW1 21 F3
Moat House Dri. CW2 20 C5
Monk St. CW1 20 C2
Monks La. CW1 20 B1
Moreton Rd. CW2 20 B3
Morgan Clo. CW2 20 B3
*Moss Sq, Prince
Albert St. CW1 21 E3
Mount Pleasant. CW1 20 D1
Mulberry Rd. CW2 20 A5
Myrtle St. CW2 21 E4
Nantwich Rd. CW2 20 C6
Nelson St. CW2 21 E4
Neville St. CW2 21 E6
Newcastle St. CW1 20 C1
Newdigate St. CW1 21 E2
Newfield Dri. CW1 21 F2
Newton St. CW1 21 E2
Nigel Gresley Clo.
CW1 21 H3
Nile St. CW2 21 E5
Nixon St. CW1 20 B2
Norbreck Av. CW2 20 D5
*North Stafford St,
Thomas St. CW1 21 F3
Oak St. CW2 21 E3
Oak Tree Clo. CW1 21 G2
Oak Tree Dri. CW1 21 G2
Oakley St. CW1 21 E2
Old Gorce Clo. CW2 20 A4
Orchard St. CW1 20 D2
Owen St. CW2 21 E5
Oxford St. CW1 20 C2
Park Dri. CW2 20 A6
Pedley St. CW2 21 F5
Peel Sq. CW1 20 D2
Peel St. CW1 20 D2
Pelican Clo. CW1 21 H2
Pendle Clo. CW1 21 H1
Peter Pl. CW1 20 D2
Petworth Clo. CW2 20 D6
Plane Tree Dri. CW1 21 F1
Poplar Gro. CW1 21 G2
Preece Ct. CW1 20 D2
Priscilla St. CW1 21 F3
Primrose Hill. CW2 20 A2
Prince Albert St. CW1 21 E3
Princess Dri. CW2 20 A6
Princess St. CW1 20 D1
Prior Clo. CW2 20 B6
Probert Clo. CW2 20 C3
Prunus Rd. CW1 21 F1
Pyms La. CW1 20 A1
Pyrus Av. CW1 21 F1
Quakers Coppice.
CW1 21 H5
Queen St. CW1 21 F3
Queens Park Dri. CW2 20 A3
Queens Park Gdns.
CW2 20 A2
Queensway. CW1 21 E3
Railbrook Ct. CW2 21 E4
Railway St. CW2 21 F4
Rainbow St. CW1 21 F3
*Ramsbottom St,
Clarence Gro. CW1 20 D2
Ravenscroft Rd. CW2 20 A4
Readesdale Av. CW2 20 B5
Reid St. CW1 20 D1
Renaissance Way.
CW1 21 H3
Rhoden St. CW1 21 H1
Richard Moon St. CW1 20 C2
Richard St. CW1 20 D2
Richmond Rd. CW1 21 F2
Ridgway St. CW1 21 E1
Rigg St. CW1 20 D2
Rochester Cres. CW1 21 G1
Rockwood Av. CW2 20 C3
*Roebuck St,
Broad St. CW1 20 D2
Roedean Wk. CW1 21 E1
Rook St. CW2 20 D4
Rose Ter. CW1 20 D2
Rosehill Rd. CW2 20 C6
Rosewood Clo. CW1 21 G1
*Rufford Clo,
Millrace Dri. CW2 20 C6
Ruskin Rd. CW2 20 D4
St Andrews Av. CW2 21 E5
St Clairs St. CW2 21 F6
*St John St,
Victoria St. CW1 21 E3
St Judes Clo. CW1 20 D1
St Marys St. CW1 20 D3
St Michaels Vw. CW1 20 D2
St Pauls Clo. CW1 20 D2
*St Pauls St,
Victoria St. CW1 21 E3
Salisbury Av. CW2 20 D5
Salisbury Clo. CW2 20 D6
Samuel St. CW1 20 D2
Sanderson Clo. CW2 21 E6
Sandhurst Av. CW2 20 C5
Sandon St. CW1 21 E3
Saunders St,
Browning St. CW1 20 D2
School Cres. CW1 21 G3
Scott Av. CW1 21 H2
Seagull Clo. CW1 21 H2
Second Av. CW1 21 G5
Shakespeare Dri. CW1 21 H3
Shelley Dri. CW2 20 B6
Sheppard St. CW1 21 F2
Sherborne Rd. CW1 21 E1
Sherwin St. CW2 21 E5
Singleton Av. CW1 21 E1
Smallbrook Wk. CW2 21 E6
Smallman Rd. CW2 20 D5
Smith Gro. CW1 20 B1
Somerford Av. CW2 20 C4
Somerville St. CW2 20 D5
Sorbus Dri. CW1 21 F1
South St. CW2 21 F5
Spring Gdns. CW1 21 F2
Stafford St. CW1 20 D2
Stalbridge Rd. CW2 21 E4
Stamford Av. CW2 20 D4
Stanier Clo. CW1 21 H3
Stanhope Av. CW1 21 G4
Stanley St. CW1 20 D3
Stanthorne Av. CW2 20 B4
Stephenson Dri. CW1 21 H3
Stewart St. CW2 20 C4
Sunnybank Rd. CW2 20 A2
Surrey St. CW1 21 F2
Swallow Field Clo.
CW2 20 C6
Sweet Briar Cres.
CW2 20 B4
Swift Clo. CW2 20 B6
Swinburne Dri. CW1 21 H3
Swinnerton St. CW2 21 E5
Sycamore Av. CW1 21 F1
Sydney Rd. CW1 21 G1
Tabley Rd. CW2 20 A4
Tatton Rd. CW2 20 A4
Tennyson Clo. CW2 20 B6
Tennyson St. CW1 21 G2
The Birches. CW2 21 E6
The Circle. CW2 21 F6
The Retreat. CW1 21 E1
Third Av. CW1 21 G5
Thirlmere Rd. CW2 20 B5
Thomas St. CW1 21 E2
Thorley Gro. CW2 20 C6
Timbrell Av. CW1 20 B1
Tollitt St. CW1 21 E3
Tommys La. CW1 21 F4
*Tower Way,
Delamere St. CW1 21 E3
Trevithick Clo. CW1 21 H3
Trinity Clo. CW2 20 C5
Tynedale Av. CW2 20 D5
Ullswater Av. CW2 20 A4
Underwood La. CW1 20 C2
Union St. CW2 21 E4
Valley Rd. CW2 20 B6
Vernon St. CW1 20 C1
Vernon Way. CW1 21 E2
Victoria Av. CW2 20 A2
Victoria St. CW1 20 D3
Villiers Russell Clo.
CW1 21 F2
Vincent St. CW1 21 F3
Vinetree Av. CW2 20 D5
Waine St. CW1 21 F1
Waldron Gdns. CW2 20 B5
Walford Av. CW2 20 C4
Walker St. CW1 20 C1
Wallis St. CW1 21 F2
Walthall St. CW2 21 E4
Wesley Ct. CW2 21 E4
West Av. CW1 20 D2
West St. CW1 20 A2
Westfield Dri. CW2 20 A6
Westmere Dri. CW1 21 H4
Westminster St. CW2 21 E4
Weston Clo. CW1 21 F5
Weston Rd. CW1 21 F5
White Av. CW2 20 B2
White Hart La. CW2 20 A6
Wilding St. CW1 21 G3
Willow Cres. CW2 20 B5
Windermere Rd. CW2 20 A4
Wistaston Av. CW2 20 B5
Wistaston Green Rd.
CW2 20 A4
Wistaston Pk. CW2 20 B6
Wistaston Rd. CW2 20 D3
Wood St. CW2 21 E5
Woodford Clo. CW2 20 B5
Woodland Av. CW1 21 H3
Woodland Gdns. CW1 21 F1
Woodside Av. CW2 20 B5
Woodside La. CW2 20 B5
Wordsworth Clo. CW2 20 B6
Wordsworth Dri. CW1 21 G2
Yates St. CW2 20 D5
Yew Tree Rd. CW2 20 C6

CUDDINGTON/ SANDIWAY

Acorn Clo. CW8 31 B6
Ash Rd. CW8 31 B6
Beech Clo. CW8 31 B6
Blake La. CW8 31 C6
Boundary La Nth.
CW8 31 B6
Boundary La Sth.
CW8 31 B6
Bridge Clo. CW8 31 B4
Bridge La. CW8 31 B4
Brookside. CW8 31 B4
Cartledge Clo. CW8 31 C5
Cherry La. CW8 31 B5
Cheryl Ct. CW8 31 B4
Chester Rd. CW8 31 B6
Chestnut Clo. CW8 31 B6
Chiltern Clo. CW8 31 C6
Church Rise. CW8 31 C6
Churchfields. CW8 31 D5
Cockpit La. CW8 31 D6
Cotswold Clo. CW8 31 C5
Dalefords La. CW8 31 C6
East La. CW8 31 C5
Farndon Clo. CW8 31 C5
Fir La. CW8 31 C5
Forest Clo. CW8 31 B5
Forest Rd. CW8 31 A6
Glebe Rd. CW8 31 C4
Grange Rd. CW8 31 B6
Green Wk. CW8 31 C4
Greenfield Way. CW8 31 C4
Hadrian Way. CW8 31 D6
Hunts La. CW8 31 D4
Ivy Dri. CW8 31 C6
Kennel La. CW8 31 C6
Kings Gate. CW8 31 C6
Lindsay Wk. CW8 31 C4
Manor Rd. CW8 31 B6
Maple La. CW8 31 B6
Mayfield Dri. CW8 31 C4
Mayfield Gro. CW8 31 C4
Meadow Clo. CW8 31 C4
Mere La. CW8 31 C5
Mill La. CW8 31 B4
Millgate. CW8 31 B4
Moorlands Av. CW8 31 C4
Moorlands Pk. CW8 31 C4
Moss La. CW8 31 B5
Nixon Rd. CW8 31 B5
Norley Rd. CW8 31 A4
Oak La. CW8 31 B6
Park Cres. CW8 31 B4
Poplar Clo. CW8 31 B5
Pool La. CW8 31 D6
Primrose Hill. CW8 31 B4
Rosslyn La. CW8 31 C5
St Johns Way. CW8 31 D6
Sandiway Clo. CW8 31 C6
Sandown Cres. CW8 31 C5
School La. CW8 31 C6
Smithy La. CW8 31 C4
Spruce Av. CW8 31 D5
Trickett La. CW8 31 C4
Valley La. CW8 31 B5
Warrington Rd. CW8 31 B4
Waste La. CW8 31 A5
Weaverham Rd. CW8 31 C6
West La. CW8 31 B5
White Lodge Mws.
CW8 31 C4
Windsor Clo. CW8 31 B4

CULCHETH

Avon Rd. WA3 17 D3
Barnwell Av. WA3 17 A1

ELLESMERE PORT

Mark Av. L66 22 A4
Marlborough Rd. L65 23 G5
*Marlborough Wk,
  Marlborough Rd.
  L65 23 G5
Marston Gdns. L65 22 D2
Maryville Clo. L65 23 G2
Maryville Wk. L65 23 G2
Maxwell Clo. L65 23 E6
Meadow La. L65 23 G2
Mendip Clo. L66 22 C5
Meols Clo. L66 22 B4
Mere Clo. L66 22 B6
Merseyton Rd. L65 23 F1
Merton Rd. L66 22 C5
Mill La. L66 22 B4
Milton Rd. L65 23 G4
Monks Gro. L65 23 F2
Mornington Av. L65 23 G3
Mossland Clo. L66 22 C6
Moston Way. L66 22 D5
Mount Farm Way. L66 22 A6
Myrtle St. L65 23 F1
Nantwich Rd. L66 22 D5
Nelson Rd. L65 23 F1
Neston Grn. L66 22 B4
Netherpool Rd. L66 22 C1
New Grosvenor Rd.
  L65 23 F1
Newnham Dri. L65 23 G4
Newton Rd. L65 23 G3
Norfolk Rd. L65 23 F3
Norley Av. L65 22 C2
Northern Rise. L66 22 C4
Norville. L66 22 B1
Oak Gro. L65 23 E1
Oak St. L65 23 F1
Oakdene Av. L66 22 A3
Oil Sites Rd. L65 23 G1
Old Chester Rd. L66 22 B3
Old Church Clo. L65 23 G1
Old Hall Dri. L65 23 F4
Oldfield Rd. L65 23 F3
Oliver La. L66 22 B4
Orchard Gdns. L66 23 E6
Overpool Gdns. L66 22 D5
Overpool Rd. L66 22 C2
Oxton Grn. L66 22 B4
Painswick Rd. L66 22 C6
Park Dri. L65 23 E5
Park Rd. L65 23 F4
Parkfield Dri. L65 23 E5
Parklands. L66 22 B2
Parklands Gdns. L66 22 B2
Parklands Vw. L66 22 B2
Parklea. L66 22 B2
Peckforton Dri. L66 22 C5
Pembridge Ct. L65 23 H5
Pembridge Gdns. L65 23 H5
Pembroke Dri. L65 23 E5
Penn Gdns. L65 23 F3
Pennington Grn. L66 22 A5
Pensby Dri. L66 22 B4
Percival Rd. L65 23 F2
Philips La. L65 22 A4
Plantation Dri. L66 22 C1
Pleck Rd. L65 23 E6
Pooltown Rd. L65 22 D4
Poplar Clo. L65 23 E4
Pound Rd. L66 22 A1
Priestfield Rd. L65 23 F3
Princes Av. L65 22 C2
Pulford Rd. L65 22 D4
Queen St. L65 23 G1
Queens Av. L65 23 E5
Queens Gdns. L65 23 E3
Queens Rd. L66 22 A1
Raby Cl. L65 23 H5
*Raddle Wharf,
  Dock St. L65 23 G1
Radway Grn. L66 22 C3
Randle Mdw. L66 22 C6
Rannoch Clo. L66 22 D5
Red Lion La. L66 22 A1
Red Pike. L66 22 B1
Redhill Mws. L65 23 F2
Regal Clo. L66 22 C5
Regent St. L65 22 D3
Reid Ct. L66 22 A1
Repton Clo. L65 23 H4
Rhuddlan Ct. L65 23 G6
Ribblesdale. L65 23 E5
Richmond Ct. L65 23 H5
Ringway. L66 22 C4

Ripon Av. L66 22 A3
Rivacre Brow. L66 22 C1
Rivacre Rd. L66 22 C1
Rivington Rd. L65 23 F3
Robins Croft. L66 22 D6
Rochester Dri. L65 23 G6
Romiley Rd. L66 22 C2
Ross Dri. L66 22 A3
Ross Rd. L65 23 E2
Rossall Gro. L66 22 B2
Rossbank Rd. L65 23 E1
Rosscliffe Rd. L65 23 E1
Rossfield Rd. L65 23 E2
Rossfield Rd Nth. L65 23 E2
Rossmore Gdns. L66 22 A2
Rossmore Rd E. L65 22 C1
Rossmore Rd W. L66 22 B1
Rossmount Rd. L65 23 E2
Rosswood Rd. L65 23 E2
Rostherne Av. L65 22 C4
Rother Dri. L65 22 D1
Royston Clo. L66 22 D5
Rugby Rd. L65 23 G5
Ruskin Dri. L65 23 H5
Ruthin Ct. L65 23 G5
Rydal Clo. L65 23 H6
St Andrews Ct. L65 23 H6
St Andrews Rd. L65 23 H5
St Martins Dri. L66 22 A6
St Thomas Vw. L65 23 E4
Saltersgate. L66 22 D6
Sandringham Gdns.
  L65 23 G6
School Rd. L65 23 F3
Schubert Clo. L66 22 A2
Seacombe Rd. L65 22 C5
Servite Clo. L65 22 C2
Severnvale. L65 23 E5
Seymour Dri. L66 22 C2
Shaw Clo. L66 22 C4
Sheepfield Clo. L66 22 A1
Shepsides Clo. L66 22 A5
Shepton Rd. L66 22 C6
Sherborne Rd. L65 22 B4
Shrewsbury Rd. L65 23 F3
Silverne Dri. L65 23 E6
Singleton Rd. L65 22 D4
Skipton Dri. L66 22 A4
Smithy La. L66 22 C6
Somerville Cres. L65 23 G4
South Pier Rd. L65 23 G1
South Rd. L65 23 G5
Southfield Rd. L66 22 A2
Spinney Rd. L66 22 B6
Spring Av. L66 22 A2
Spring Gdns. L66 22 A2
Spunhill Av. L66 22 A6
Stafford Gdns. L65 23 F3
Stamford St. L65 22 D3
Stanlaw Rd. L65 23 G4
Stanley Rd. L65 23 F1
Stanney La. L65 23 F4
Station La. L66 22 A1
Station Grn. L66 22 A1
Station Rd. L65 23 G2
Station Rd. L66 22 A1
Stirling Ct. L65 23 H5
Stoke Gdns. L65 23 F4
Stokesay Ct. L65 23 H5
Stour Ct. L65 23 F1
Straker Av. L65 22 C2
Summertrees Rd. L66 22 C6
Sunfield Clo. L66 22 B5
Sunnyside. L65 23 G2
Sutton Way. L66 22 B4
Sutton Way. L65 22 D4
Swale Rd. L65 23 E1
Swan Clo. L65 22 A6
Sweetfield Gdns. L66 22 B1
Sweetfield Rd. L66 22 B1
Tarporley Rd. L66 22 C4
Tarvin Clo. L65 23 G4
Tees Ct. L65 23 E1
Telford Rd. L65 23 H4
Telfords Quay. L65 23 G1
Tennyson Rd. L65 23 E4
Tetchill Clo. L66 22 B6
Thames Gdns. L65 23 E5
Thames Side. L65 23 E5
Thamesdale. L65 23 E5
*The Arcade,
  Regent St. L65 23 E3

The Boulevard. L65 22 D3
The Breck. L66 22 C1
The Crescent. L65 22 D3
The Green. L65 23 F6
The Harn. L66 22 A5
The Oval. L65 23 G5
The Paddock. L65 22 B5
The Riddings. L65 23 E4
Thelwall Rd. L66 22 C4
Thirlmere Rd. L65 23 F6
Thomas Clo. L65 23 F6
Thorne Dri. L66 22 A4
Thornleigh Dri. L65 22 C4
Thornton Rd. L65 23 H4
Thornwythe Gro. L66 22 C4
Torridon Gro. L66 22 D5
Trentdale. L65 23 F5
Trumans La. L66 22 A1
Tynesdale. L65 23 E5
Ullswater Rd. L65 23 G6
Underwood Dri. L65 23 F6
*Upper Mersey St,
  Lower Mersey St.
  L65 23 G1
Upton Rd. L66 22 B4
Ure Ct. L65 22 D1
Vale Gdns. L65 23 E4
Vale Rd. L65 23 E4
Valley Dri. L66 22 B3
Valley Vw. L66 22 B3
Veronica Way. L66 22 B1
Victoria Rd. L65 23 F3
Walkers La. L66 22 A2
Warkworth Ct. L65 23 H5
Warren Ct. L66 22 B5
Warren Dri. L66 22 C1
Warrington Av. L65 23 E6
Warwick Ct. L65 23 H6
Waverton Rd. L66 22 C3
Wavertree Ct. L66 22 C1
Weaver Rd. L65 23 G5
Websters La. L66 22 D6
Wellesley Av. L65 23 G3
Wellington Clo. L65 23 G3
Wellington Rd. L65 23 F4
Wellington Rd Nth.
  L65 23 G3
Wellswood Rd. L66 22 C1
Welshampton Clo.
  L66 22 B6
Wenlock Gdns. L66 22 D6
Wenlock La. L66 22 D6
West Rd. L65 23 F5
Westenra Av. L65 22 C2
Westminster Gro. L65 23 F2
Westminster Rd. L65 23 F1
Wetherby Way. L66 22 A3
Wharfe La. L65 22 D1
Wheatfield Clo. L66 22 A6
Whetstone Hey. L66 22 B3
Whitby Rd. L65 23 E4
Whitecroft Rd. L66 22 C6
Whitemere Ct. L65 23 F1
Wilkinson St. L65 23 F2
Wilkinson St Nth. L65 23 F2
William Johnson Gdns.
  L65 23 F2
Wilmslow Av. L66 22 C3
Wilmslow Clo. L66 22 C3
Wilsons La. L65 23 E5
Winchester Av. L65 23 H4
Windermere Rd. L65 23 F6
Windfield Gdns. L66 22 B1
Windsor Dri. L65 23 E5
Windways. L66 22 B1
Winsford Gro. L66 22 A5
Wolverham Rd. L65 23 G5
Woodbank Rd. L65 23 F6
Woodchurch La. L66 22 C2
Woodend Rd. L65 23 E5
Woodfield Rd. L65 23 F3
Woodfield Rd Nth. L65 23 F3
Woodland Rd. L65 23 E6
Woodside. L65 23 F6
Woodvale Rd. L66 22 B2
Woollam Dri. L66 22 B1
*Worcester St,
  Station Rd. L65 23 G2
*Worcester Wk,
  Station Rd. L65 23 G2
Wycliffe Rd. L65 23 E5
Wyedale. L65 23 E5
Wyncroft Clo. L65 23 E5
Wyndham Cres. L66 22 C6

York Rd. L65 23 F3

FRODSHAM

Albert Row. WA6 24 B2
*Alexandra Mws,
  Plumpstons La.
  WA6 24 B2
Alvanley Ter. WA6 24 B3
Arran Dri. WA6 24 C5
Ashlands. WA6 24 C4
Ashton Clo. WA6 24 C2
Ashton Ct. WA6 24 C2
Ashton Dri. WA6 24 C1
Beech Av. WA6 24 B3
Belle Monte Rd. WA6 24 B4
Belvedere Clo. WA6 24 C2
Bickerton Av. WA6 24 C4
Blue Hatch. WA6 24 B3
Borrowdale Clo. WA6 24 C3
Bracken Way. WA6 24 C5
Bradley La. WA6 24 C5
Bridge La. WA6 24 C2
Brook Furlong. WA6 24 A2
Brookside Rd. WA6 24 A3
Buttermere Clo. WA6 24 C3
Carriage La. WA6 24 A5
Chapelfields. WA6 24 A3
Chester Rd. WA6 24 A5
Church Rd. WA6 24 C4
Church St. WA6 24 B3
Churchfield Rd. WA6 24 B3
Cliff Vw. WA6 24 A3
Clifton Cres. WA6 24 C2
Clover Av. WA6 24 D4
Cobal Ct. WA6 24 B3
Coniston Dri. WA6 24 C3
Coronation Dri. WA6 24 D2
Cup La. WA6 24 A4
Doric Av. WA6 24 C4
Dunsdale Rd. WA6 24 A5
Eddisbury Sq. WA6 24 B3
Ellis La. WA6 24 D2
Elm Rise. WA6 24 C4
Ennerdale Dri. WA6 24 C3
Erindale Cres. WA6 24 A5
Eversley Clo. WA6 24 C5
Eversley Pk. WA6 24 C5
Fairways. WA6 24 D4
Fieldway. WA6 24 C4
Fluin La. WA6 24 B3
Fountain La. WA6 24 A3
Foxglove Ct. WA6 24 C4
Francis Rd. WA6 24 C2
Froda Av. WA6 24 B4
Grasmere Rd. WA6 24 C3
Green Acres. WA6 24 C5
Greenfield La. WA6 24 B3
Greenside Av. WA6 24 D4
Hares La. WA6 24 A3
Hatley La. WA6 24 A4
Hawthorne Rd. WA6 24 B2
Hayes Cres. WA6 24 B2
Hazlehurst Rd. WA6 24 C6
High St. WA6 24 B3
Hillfield. WA6 24 B4
Hillsborough Av. WA6 24 C4
Hillside Rd. WA6 24 C4
Hillview Clo. WA6 24 C4
Hob Hey La. WA6 24 D3
Howey La. WA6 24 B4
Howey Rise. WA6 24 A4
INDUSTRIAL & RETAIL:
  Weaver Pk Ind Est.
  WA6 24 D1
Keswick Clo. WA6 24 C3
Kingsley Rd. WA6 24 C5
Kingsway. WA6 24 B2
Ladys Wk. WA6 24 B5
Langdale Way. WA6 24 A4
Lansdowne. WA6 24 D5
Lime Av. WA6 24 B3
London Rd. WA6 24 B3
Main St. WA6 24 A3
Manley Rd. WA6 24 B2
Manor Rd. WA6 24 C2
Maori Dri. WA6 24 A4
Marling Clo. WA6 24 C5
Marsh La. WA6 24 D3
Marshgate Pl. WA6 24 C1
Martin Rd. WA6 24 B3
Matterdale Clo. WA6 24 C4

Mattys La. WA6 24 A4
Meadow Vw Dri. WA6 24 A4
Middle Wk. WA6 24 B4
Mill La. WA6 24 D1
Millbank Ct. WA6 24 A3
Moor La. WA6 24 B3
Moreton Ter. WA6 24 A3
Netherton Grn. WA6 24 A4
Newlands Clo. WA6 24 C5
Oakdale Av. WA6 24 C5
Orchard Clo. WA6 24 A5
Overton Dri. WA6 24 C5
Park La. WA6 24 A3
Pear Tree Clo. WA6 24 D2
Penkemans La. WA6 24 C5
Pennington Clo. WA6 24 C2
Penrith Clo. WA6 24 C3
Pinmill Brow. WA6 24 B4
Pinmill Clo. WA6 24 B4
Plumpstons La. WA6 24 B2
Pollard Av. WA6 24 C4
Princeway. WA6 24 B3
Quayside. WA6 24 D2
Queensway. WA6 24 B4
Red La. WA6 24 B3
Riversdale. WA6 24 C2
Rock Dri. WA6 24 B2
Rodgers Clo. WA6 24 B2
Rosewood Av. WA6 24 D4
Royleen Dri. WA6 24 C5
St Hildas Dri. WA6 24 C2
St James Clo. WA6 24 B2
St Lawrence Rd. WA6 24 B4
St Lukes Way. WA6 24 C1
Saltworks Clo. WA6 24 C1
Sandfield. WA6 24 B3
Sandfield Ct. WA6 24 B3
School La. WA6 24 C4
Ship St. WA6 24 B2
Silverdale Clo. WA6 24 C4
Simons La. WA6 24 A6
Springbourne. WA6 24 D5
The Quay. WA6 24 D2
The Willows. WA6 24 C3
Thirlmere Clo. WA6 24 C3
Top Rd. WA6 24 D6
Townfield La. WA6 24 B2
Vicarage La. WA6 24 C2
Volunteer St. WA6 24 C2
Warren Ct. WA6 24 C1
Watersedge. WA6 24 C1
Waterside Dri. WA6 24 C1
Wayford Clo. WA6 24 B2
Weaver Cres. WA6 24 B2
Weaver La. WA6 24 B1
Weaver Rd. WA6 24 B2
Whitehall Pl. WA6 24 B3
Withy Clo. WA6 24 B3
Woodside Av. WA6 24 C4
Wooley Clo. WA6 24 C1

GREAT SANKEY/ PENKETH

Ainsdale Clo. WA5 25 C3
Albert Dri. WA5 25 B1
Alderbank Rd. WA5 25 D1
Almer Rd. WA5 25 F2
Arlington Dri. WA5 25 B3
Ash Rd. WA5 25 C3
Ashbourne Rd. WA5 25 E3
Audie Murphy Rd.
  WA5 25 E2
Audre Clo. WA5 25 A1
Avon Av. WA5 25 C3
Babbacombe Rd.
  WA5 25 B3
Bagnall Clo. WA5 25 F2
Banbury Dri. WA5 25 B3
Bank Gdns. WA5 25 B3
Barbondale Clo. WA5 25 C1
Barnes Clo. WA5 25 D2
Barnstaple Way. WA5 25 B3
Barrow Hall La. WA5 25 B1
Beadnell Clo. WA5 25 C4
Beaufort Clo. WA5 25 C4
Beechwood Av. WA5 25 C2
Belmont Cres. WA5 25 D1
Beverley Rd. WA5 25 F2
Bideford Rd. WA5 25 B3
Birchfield Rd. WA5 25 E2
Birdwell Dri. WA5 25 B3

Birkdale Rd. WA5 25 C3
Bispham Rd. WA5 25 E3
Blandford Rd. WA5 25 E2
Bond St. WA5 25 E2
Bradley Blvd. WA5 25 E2
Bramble Clo. WA5 25 B4
Brampton Av. WA5 25 E2
Brentnall Clo. WA5 25 F2
Brightwell Clo. WA5 25 B2
Brimlow Cres. WA5 25 B4
Broad Oak Rd. WA5 25 C3
Brook Dri. WA5 25 D2
Brook Way. WA5 25 D2
Brookside Av. WA5 25 D3
Buckfast Clo. WA5 25 B4
Buckingham Dri. WA5 25 F3
Burnham Clo. WA5 25 C3
Burtonwood Rd. WA5 25 E1
Calstock Clo. WA5 25 B4
Campbell Cres. WA5 25 C2
Canford Clo. WA5 25 F2
Cedar Rd. WA5 25 C1
Chapel Rd. WA5 25 B4
Charles Av. WA5 25 C1
Charminster Clo. WA5 25 E2
Cherry Tree Av. WA5 25 C3
Chestnut Av. WA5 25 C1
Chippendall Clo. WA5 25 F2
Clarence Av. WA5 25 A1
Cleveleys Rd. WA5 25 E3
Clifford Rd. WA5 25 D3
Clovelly Av. WA5 25 B1
Conifer Gro. WA5 25 C1
Coniston Av. WA5 25 B3
Conway Clo. WA5 25 C1
Coogee Av. WA5 25 B1
Coronation Dri. WA5 25 C3
Coverdale Clo. WA5 25 C1
Cromdale Way. WA5 25 B1
Cromwell Av Sth. WA5 25 F3
Cronulla Dri. WA5 25 A1
Cunningham Clo. WA5 25 C2
Daisy Bank. WA5 25 C3
Davids Av. WA5 25 E3
Deepdale Clo. WA5 25 C1
Denehurst Clo. WA5 25 C3
Denham Av. WA5 25 E2
Denise Av. WA5 25 B2
Ditchfield Rd. WA5 25 B4
Dorchester Rd. WA5 25 F1
Druridge Dri. WA5 25 C4
Duncansby Cres. WA5 25 B1
Ealing Rd. WA5 25 D2
East Av. WA5 25 D3
Edward Rd. WA5 25 A2
Eisenhower Clo. WA5 25 E2
Elm Rd. WA5 25 C3
Elmsett Clo. WA5 25 B2
Fairhaven Clo. WA5 25 E3
Falmouth Dr. WA5 25 B4
Farmleigh Gdns. WA5 25 F1
Farnworth Rd. WA5 25 A4
Fenham Dri. WA5 25 C4
Fildes Clo. WA5 25 F2
Finlay Av. WA5 25 B4
Fleetwood Clo. WA5 25 E3
Fordington Rd. WA5 25 E2
Forge Rd. WA5 25 C2
Formby Clo. WA5 25 C3
Fraser Rd. WA5 25 A1
Freckleton Clo. WA5 25 E3
Friars Av. WA5 25 B2
Friends La. WA5 25 A2
Garsdale Clo. WA5 25 C1
George Rd. WA5 25 F3
Grange Dri. WA5 25 D3
Grant Rd. WA5 25 E2
Greenall Av. WA5 25 A3
Greenway. WA5 25 B1
Greystone Rd. WA5 25 C3
Groarke Dri. WA5 25 B2
Grosvenor Clo. WA5 25 F2
Hadleigh Clo. WA5 25 B2
Haig Av. WA5 25 D3
Hale Gro. WA5 25 D2
Hall Nook. WA5 25 C3
*Hall Ter. WA5, Phillips Dri. WA5 25 B1
Halton Rd. WA5 25 C1
Hamble Dri. WA5 25 C4
Hampton Dri. WA5 25 F3
Harlyn Gdns. WA5 25 A4
Haslemere Dri. WA5 25 A3
Hawthorne Av. WA5 25 C2
Heath Rd. WA5 25 C3
Helmsdale La. WA5 25 F1
Helston Clo. WA5 25 B3
Henderson Clo. WA5 25 A2
Hesketh Clo. WA5 25 C3
Highfield Av. WA5 25 D2
Hilary Clo. WA5 25 A1
Hillside Gro. WA5 25 C3
Hilton Av. WA5 25 E2
Holbrook Clo. WA5 25 B2
Holly Rd. WA5 25 B2
Holly Ter. WA5 25 C3
Honiton Way. WA5 25 B3
Hood La. WA5 25 F3
Hood Lane Nth. WA5 25 F1
Huntley St. WA5 25 F3
Hurley Clo. WA5 25 F2
Inglenook Rd. WA5 25 C3
Jubilee Av. WA5 25 B3
Keith Av. WA5 25 B1
Kent Rd. WA5 25 F3
Kenyon Av. WA5 25 B2
Kingston Av. WA5 25 B2
Kintore Dri. WA5 25 A1
Kirkcaldy Av. WA5 25 A1
Kirkham Clo. WA5 25 E3
Kirkwall Dri. WA5 25 D4
Laburnum La. WA5 25 A2
Lamerton Clo. WA5 25 A3
Larch Av. WA5 25 B2
Launceston Dri. WA5 25 B4
Lee Rd. WA5 25 E2
Lilac Av. WA5 25 D2
Lilford Dri. WA5 25 C1
Lingley Grn. WA5 25 A1
Lingley Green Av. WA5 25 A1
Lingley Rd. WA5 25 A1
Lingwood Rd. WA5 25 C1
Linsworth Clo. WA5 25 F1
Littledale Clo. WA5 25 C1
Liverpool Rd. WA5 25 A1
Lynham Av. WA5 25 E2
Lynton Clo. WA5 25 B3
Lyons Rd. WA5 25 C3
Macarthur Dri. WA5 25 E2
Maliston Rd. WA5 25 E2
Malpas Dri. WA5 25 F3
Malpas Way. WA5 25 F3
Manston Rd. WA5 25 C4
Manuel Perez Rd. WA5 25 E2
Maple Cres. WA5 25 C4
Maplewell Cres. WA5 25 D2
Marina Av. WA5 25 E3
Mayfair Clo. WA5 25 A1
Meeting La. WA5 25 A3
Mill Av. WA5 25 B1
Molly Pitcher Way. WA5 25 E2
Morrison Clo. WA5 25 D2
Mossdale Clo. WA5 25 D1
Muriel Clo. WA5 25 A1
Neville Cres. WA5 25 D4
Newlyn Gdns. WA5 25 A4
Norbreck Clo. WA5 25 E3
Norfolk Dri. WA5 25 B1
North Vw. WA5 25 B1
Norton Av. WA5 25 B2
Oak Rd. WA5 25 C4
Oakmere Dri. WA5 25 C4
Orrell Clo. WA5 25 D2
Padstow Clo. WA5 25 B4
Paignton Clo. WA5 25 B3
Palin Dri. WA5 25 C1
Park Rd. WA5 25 A1
Parsonage Way. WA5 25 D2
Paul Clo. WA5 25 A1
Penketh Rd. WA5 25 D3
Penrose Gdns. WA5 25 A4
Penryn Clo. WA5 25 B4
Peter Salem Dri. WA5 25 E2
Phillips Dri. WA5 25 B1
Phythian Cres. WA5 25 D3
Polperro Clo. WA5 25 B4
Poplar Av. WA5 25 B4
Porlock Clo. WA5 25 B3
Princess Av. WA5 25 B1
Pyecroft Clo. WA5 25 A1
Pyecroft Rd. WA5 25 A1
Radlett Clo. WA5 25 B4
Raikes Clo. WA5 25 F2
Ranworth Rd. WA5 25 B1
Rhona Dri. WA5 25 B1
Ridley Dri. WA5 25 F3
Rochester Clo. WA5 25 F2
Roeburn Way. WA5 25 A4
Rosemary Clo. WA5 25 F2
Rossall Rd. WA5 25 E3
Rothay Dri. WA5 25 A4
Rowan Clo. WA5 25 C1
Rozel Cres. WA5 25 E3
Ruby Gro. WA5 25 D2
Ruscolm Clo. WA5 25 A1
St Alban Rd. WA5 25 B2
St Austell Clo. WA5 25 B4
St Brides Clo. WA5 25 B4
St Josephs Clo. WA5 25 B2
St Marys Rd. WA5 25 C3
St Stephen Rd. WA5 25 C2
St Vincent Rd. WA5 25 C2
Sanderson Clo. WA5 25 A1
Sandringham Dri. WA5 25 F3
Sandy La. WA5 25 D3
Sankey Way. WA5 25 D2
Sergeant York Loop. WA5 25 E2
Sheffield Clo. WA5 25 F2
Sheringham Rd. WA5 25 B2
Shoreham Dri. WA5 25 D4
Sidmouth Clo. WA5 25 B3
Snowdon Clo. WA5 25 B1
South Dale. WA5 25 C2
Southfields Av. WA5 25 C2
Southlands Av. WA5 25 C4
Stanley Av. WA5 25 A1
Stanstead Av. WA5 25 D4
Station Rd, Gt Sankey. WA5 25 C2
Station Rd, Penketh. WA5 25 B4
Stocks La. WA5 25 A2
Stratton Rd. WA5 25 E2
Sunny Side. WA5 25 B1
Susan Dri. WA5 25 B2
Swaledale Clo. WA5 25 C4
Sycamore La. WA5 25 E1
Tankersley Gro. WA5 25 D2
Tannery La. WA5 25 A4
Tavistock Rd. WA5 25 B3
Teesdale Clo. WA5 25 C1
The Dale. WA5 25 C2
The Grove. WA5 25 C3
The Park. WA5 25 A4
Thetford Rd. WA5 25 B1
Thorn Clo. WA5 25 C4
Thornton Rd. WA5 25 E3
Tiverton Sq. WA5 25 B3
Tragan Dri. WA5 25 A4
Upton Dri. WA5 25 C3
Vauxhall Clo. WA5 25 C3
Ventnor Clo. WA5 25 A1
Victoria Av. WA5 25 A1
Victoria Rd, Great Sankey. WA5 25 E3
Victoria Rd, Penketh. WA5 25 B3
Vine Cres. WA5 25 C1
Walkers La. WA5 25 B4
Walsingham Rd. WA5 25 C2
Walton Av. WA5 25 B2
Warrington Rd. WA5 25 B3
Warton Clo. WA5 25 D4
Warwick Av. WA5 25 A1
Washington Dri. WA5 25 E1
Wednesbury Dri. WA5 25 C1
Well La. WA5 25 B4
West Dri. WA5 25 E3
Wheatcroft Clo. WA5 25 F1
Whitethorn Av. WA5 25 C2
Whittle Av. WA5 25 D1
Whittle Hall La. WA5 25 C1
Widnes Rd. WA5 25 A4
William Penn Clo. WA5 25 C3
Wilmot Av. WA5 25 C1
Winchester Av. WA5 25 F2
Windmill La. WA5 25 B2
Winstanley Clo. WA5 25 F2
Withycombe Rd. WA5 25 B3
Woodbank Rd. WA5 25 D3
Woodley Fold. WA5 25 C4
Woodside Rd. WA5 25 C1
Worcester Clo. WA5 25 F2
Worsborough Av. WA5 25 E2
Wroxham Rd. WA5 25 B1
Yarmouth Rd. WA5 25 B2
Yates Clo. WA5 25 F2
York Av. WA5 25 B1

HANDFORTH

Alveston Dri. SK9 26 A6
Anderton Way. SK9 26 B4
Anson Rd. SK9 26 C6
*Appleton Wk, Lyngard Clo. SK9 26 C5
Arclid Clo. SK9 26 C5
Arkle Av. SK9 26 C2
Ash Gro. SK9 26 A3
Ashford Clo. SK9 26 B2
*Aston Way, Spath La. SK9 26 C2
Bankside Clo. SK9 26 B5
Barford Dri. SK9 26 B6
Barton Clo. SK9 26 C5
Beaufort Chase. SK9 26 D6
Beaumont Ct. SK9 26 B1
Beeston Rd. SK9 26 B2
*Benbrook Gro, Foden Wk. SK9 26 B5
Benson Wk. SK9 26 B5
Bidston Dri. SK9 26 C4
Birtles Way. SK9 26 C1
*Blackden Wk, Shrigley Clo. SK9 26 B5
Bluebell Way. SK9 26 A6
Boleyn Wood Ct. SK9 26 A5
Bolshaw Farm La. SK8 26 A1
Bosden Clo. SK9 26 B2
Bosley Clo. SK9 26 B5
Bowery Av. SK8 26 D1
Brackenwood Mws. SK9 26 C6
Brandon Clo. SK9 26 B5
Brereton Rd. SK9 26 C4
Bridge Dri. SK9 26 B3
Bridgefield Av. SK9 26 A6
Brindley Gro. SK9 26 C5
Brompton Way. SK9 26 B1
Brooke Av. SK9 26 B3
Brooke Dri. SK9 26 B3
Brooke Way. SK9 26 C3
Broomfield Clo. SK9 26 C6
Browns La. SK9 26 C6
Budworth Wk. SK9 26 C5
Bulkeley Rd. SK9 26 A3
Caldy Rd. SK9 26 B4
Calverley Clo. SK9 26 A6
Campden Way. SK9 26 B2
Cardenbrook Gro. SK9 26 B5
Carlton Av. SK9 26 A5
Chadwick Clo. SK9 26 A6
*Chelford Ct, Chelford Rd. SK9 26 C1
Chelford Rd. SK9 26 C1
Cherington Clo. SK9 26 D4
Cherry Tree Clo. SK9 26 C6
Chester Clo. SK9 26 C5
Chestnut Clo. SK9 26 C6
*Christleton Way, Spath La. SK9 26 C2
Church Clo. SK9 26 B3
Church Rd. SK9 26 B3
Church Ter. SK9 26 B3
Clare Av. SK9 26 A3
Clay La. SK9 26 A2
*Cliffbrook Gro, Bosley Clo. SK9 26 B5
Clough Av. SK9 26 A5
Colshaw Dri. SK9 26 B5
Colshaw Wk. SK9 26 B5
Commercial Av. SK8 26 C2
Coniston Dri. SK9 26 A2
Copperfields. SK9 26 A6
Coppice Way. SK9 26 C3
Cornwell Clo. SK9 26 C6
Countess Av. SK8 26 C2
Courtney Grn. SK9 26 B4
*Cranage Way, Spath La. SK9 26 B2
Cross La. SK9 26 D6
Crossfield Rd. SK9 26 B3
*Cuddington Way, Pickmere Rd. SK9 26 B1
*Dairybrook Gro, Lyngard Clo. SK9 26 C5
Daresbury Clo. SK6 26 B6
Davenham Rd. SK9 26 B3
Dean Clo. SK9 26 B5
Dean Dri. SK9 26 B5
Dean Rd. SK9 26 C4
Dean Row Rd. SK9 26 A5
Deanway. SK9 26 A6
Delamere Rd. SK9 26 B3
Derwent Dri. SK9 26 A2
Drayton Clo. SK9 26 B6
Duke Av. SK8 26 D1
Dunham Rd. SK9 26 B1
Earl Rd. SK8 26 C2
Eastham Way. SK9 26 B2
*Eccleston Way, Henbury Rd. SK9 26 B2
*Edleston Gro, Picton Dri. SK9 26 C5
Elm Gro. SK9 26 A3
Elton Clo. SK9 26 C5
Elworth Way. SK9 26 B3
Epsom Av. SK9 26 C3
Evesham Dri. SK9 26 A4
Fairlawn Clo. SK9 26 C6
Ferndale. SK9 26 B4
Fieldhead Rd. SK9 26 C6
Finney Clo. SK9 26 A5
Finney Dri. SK9 26 B5
Foden Wk. SK9 26 B5
Frodsham Way. SK9 26 C3
Gawsworth Way. SK9 26 C2
Gladewood Clo. SK9 26 A6
Goodrington Rd. SK9 26 C4
Goosetrey Clo. SK9 26 C5
Gorsefield Hey. SK9 26 C6
Gowy Clo. SK9 26 C5
Grangeway. SK9 26 B2
Grason Av. SK9 26 A5
Green Dri. SK9 26 B5
Gregg Mws. SK9 26 A5
Half Acre Grn. SK9 26 A6
Hall Rd. SK9 26 C4
Hall Wood Rd. SK9 26 C4
Hampson Cres. SK9 26 A3
Handforth By-Pass. SK9 26 C1
Handforth Rd. SK9 26 C4
Harefield Rd. SK9 26 B2
Harrow Clo. SK9 26 B6
Hassall Way. SK9 26 C2
Heatherfield Ct. SK9 26 C6
Heatley Way. SK9 26 C2
Helsby Way. SK9 26 B2
Henbury Rd. SK9 26 B2
Hendon Clo. SK9 26 B6
Hereford Dri. SK9 26 C3
Highfield Cres. SK9 26 A5
Highfield Est. SK9 26 A5
Hill Dri. SK9 26 C4
Hillbre Way. SK9 26 C2
Holmeswood Clo. SK9 26 A6
*Hooton Way, Spath La. SK9 26 C2
Hope Av. SK9 26 B3
Howty Clo. SK9 26 B5
Hunters Clo. SK9 26 D6
Hunters Vw. SK9 26 A3
Hurlbote Clo. SK9 26 B2
INDUSTRIAL & RETAIL:
Deanway Business Pk. SK9 26 B4
Handforth Dean Retail Pk. SK9 26 C3
Stanley Green Ind Est. SK9 26 D1
Stanley Green Retail Pk. SK9 26 D1
Irwin Dri. SK9 26 B2
Kelsall Way. SK9 26 B1
Kenilworth Av. SK9 26 B4
Kennet Clo. SK9 26 C5
*Kettleshulme Wk, Picton Dri. SK9 26 C5
Kiln Croft La. SK9 26 C3
Kingsley Av. SK9 26 A5
Kingston Rd. SK9 26 B2
Knightsbridge Dri. SK9 26 B6
Knowle Grn. SK9 26 A3
Knowle Pk. SK9 26 A3
Lacey Av. SK9 26 A6
Lacey Clo. SK9 26 A6
Lacey Ct. SK9 26 A6
Lacey Grn. SK9 26 A6
Lacey Gro. SK9 26 A5

Ladybrook Gro. SK9 26 B5
Lamerton Way. SK9 26 C5
Lancaster Rd. SK9 26 C6
Lancelyn Dri. SK9 26 B6
Langley Dri. SK9 26 C4
Larchwood Dri. SK9 26 C6
Lincoln Rd. SK9 26 C6
Long Marl Dri. SK9 26 D3
Longsight La. SK9 26 D1
Lostock Rd. SK9 26 B3
Lower Mdw Rd. SK9 26 C3
Lyngard Clo. SK9 26 C5
Mainwaring Dri. SK9 26 B6
Malpas Clo. SK9 26 C5
Manchester Rd. SK9 26 A5
Marina Clo. SK9 26 B2
Marlow Dri. SK9 26 A2
Marthall Way. SK9 26 C1
Marton Way. SK9 26 C2
Medway Clo. SK9 26 B5
Meriton Rd. SK9 26 A3
Millbrook Gro. SK9 26 B5
Moran Clo. SK9 26 C5
Moreton Dri. SK9 26 C4
Moss Ter. SK9 26 D6
Mosswood Rd. SK9 26 C6
Muirfield Clo. SK9 26 B6
Nantwich Way. SK9 26 C2
Neston Way. SK9 26 B4
Newbury Clo. SK8 26 D1
*Norbury Way,
  Sandiway Rd. SK9 26 C1
Northfield Dri. SK9 26 C1
Oak Mws. SK9 26 A5
Oakenclough Clo. SK9 26 B5
Oaklands Clo. SK9 26 C5
Oakmere Rd SK9 26 B1
Old Hall Cres. SK9 26 C4
Old Rd. SK9 26 C3
Ollerton Rd. SK9 26 C2
Orchard Dri. SK9 26 C4
Orwell Clo. SK9 26 C4
Osprey. SK9 26 A6
Overton Way. SK9 26 B1
Park Av. SK9 26 A6
Peck Hill Clo. SK9 26 C5
Peacock Way. SK9 26 B1
Peover Rd. SK9 26 C2
Pickmere Rd. SK9 26 B1
Picton Dri. SK9 26 C5
Pinewood Rd. SK9 26 C6
Plumley Rd. SK9 26 B2
Queensbury Clo. SK9 26 B6
Redbrook Gro. SK9 26 B5
Redesmere Rd. SK9 26 B2
Reynolds Mws. SK9 26 C6
Richmond Av. SK9 26 B2
Ringstead Clo. SK9 26 B5
Ringstead Dri. SK9 26 B6
Rode Pool Clo. SK9 26 B5
Rookerypool Clo. SK9 26 B5
Rossenclough Rd. SK9 26 B5
Rowanside Dri. SK9 26 C6
Sagars Rd. SK9 26 A3
St James Way. SK9 26 D1
Sandhurst Dri. SK9 26 B6
Sandiway Rd. SK9 26 C1
School Rd. SK9 26 B3
Sealand Way. SK9 26 B2
Sedgeford Clo. SK9 26 B6
Sefton Clo. SK9 26 A5
Sefton Dri. SK9 26 A5
Shargate Clo. SK9 26 A6
Shrigley Clo. SK9 26 B5
Siddington Rd. SK9 26 B1
*Snapebrook Gro,
  Gowy Clo. SK9 26 C5
Somerford Way. SK9 26 C1
South Acre Dri. SK9 26 B4
Southfield Clo. SK9 26 A3
Spath La. SK9 26 B1
Spinney Clo. SK9 26 A3
Stanley Rd. SK9 26 B1
Stanneylands Clo. SK9 26 A5
Stanneylands Dri. SK9 26 A5
Stanneylands Rd. SK9 26 A4
Station Rd. SK9 26 B3
Stretton Way. SK9 26 B1
Styal Rd. SK9 26 A6
Styal Vw. SK9 26 A5
Suffolk Dri. SK9 26 A5
Sunbury Clo. SK9 26 C5
Sutton Way. SK9 26 C1
Swale Clo. SK9 26 C5

Swettenham Rd. SK9 26 B1
Swinley Chase. SK9 26 D5
Tabley Rd. SK9 26 B2
Tame Wk. SK9 26 C5
Tarporley Wk. SK9 26 C5
Tarvin Way. SK9 26 B1
Tatton Rd. SK9 26 C2
The Green. SK9 26 C4
The Link. SK9 26 B3
The Race. SK9 26 B4
Thornton Dri. SK9 26 B4
*Tilston Wk,
  Lyngard Rd. SK9 26 C5
Timbersbrook Gro.
  SK9 26 B5
Toft Way. SK9 26 C2
*Torbrook Gro,
  Bosley Clo. SK9 26 B5
Tranmere Dri. SK9 26 C4
Tudor Grn. SK9 26 C6
Tudor Rd. SK9 26 C6
Twinnies Ct. SK9 26 A5
Twinnies Rd. SK9 26 A5
Ullswater Rd. SK9 26 A2
*Upton Way,
  Beeston Rd. SK9 26 B2
Vale Head. SK9 26 B4
Valley Dri. SK9 26 A3
Viewlands Dri. SK9 26 B4
Village Way. SK9 26 B6
Wadsworth Clo. SK9 26 C3
Wallingford Rd. SK9 26 B1
Warburton Rd. SK9 26 B3
Warren Hey. SK9 26 C6
Waveney Dri. SK9 26 B5
Weaverham Way. SK9 26 C2
Welland Rd. SK9 26 C4
Westbourne Dri. SK6 26 B6
Wheelock Clo. SK9 26 B6
*Willaston Way,
  Sandiway Rd. SK9 26 C2
Willow Dri. SK9 26 B3
Wilmslow Rd. SK9 26 B1
Wilmslow Way. SK9 26 C5
Windermere Rd. SK9 26 A2
Wolverton Dri. SK9 26 B6
Woodcote Vw. SK9 26 D6
Woodlands Rd. SK9 26 C4

HELSBY

Alvanley Dri. WA6 27 D3
Alvanley Rd. WA6 27 D2
Ardern Lea. WA6 27 F4
*Back Crossland Ter,
  Windsor Dri. WA6 27 D3
Back La. WA6 27 E3
Balmoral Dri. WA6 27 D1
Bank House La. WA6 27 D1
Bank Mws. WA6 27 D1
Barn Croft. WA6 27 E1
Bates La. WA6 27 E1
*Bramley Wk,
  Meliden Gro. WA6 27 C4
Bridgeside Dri. WA6 27 D1
Britannia Gdns. WA6 27 C4
Britannia Rd. WA6 27 C3
Cambridge Gdns.
  WA6 27 E1
Chapel Vw. WA6 27 C4
Chester Rd. WA6 27 D2
Church Fields. WA6 27 E1
Church Way. WA6 27 F4
Commonside. WA6 27 F3
Conery Clo. WA6 27 E1
Coppins Clo. WA6 27 D2
Crescent Dri. WA6 27 D2
Crossland Ter. WA6 27 C3
Dalecroft. WA6 27 A4
Denbigh Clo. WA6 27 C4
Dove Clo. WA6 27 D1
Foxhill Gro. WA6 27 F1
Freshmeadow La.
  WA6 27 C3
Frodsham Rd. WA6 27 E4
Greenway Rd. WA6 27 C3
Grove Bank. WA6 27 D1
Grove Ter. WA6 27 E1
Hale Vw Rd. WA6 27 E1
Hallstone Rd. WA6 27 D1
Hapsford La. WA6 27 A4
Hawkstone Gro. WA6 27 D1

Helsby Rd. WA6 27 E3
Hemlegh Vale. WA6 27 C3
High Vw. WA6 27 E1
Hill Rd Nth. WA6 27 E2
Hill Rd Sth. WA6 27 C3
Hill Vw Av. WA6 27 C4
Hillside Clo. WA6 27 E1
Holly Ct. WA6 27 E1
Homeway. WA6 27 C3
Hunters Ct. WA6 27 E1
Kings Dri. WA6 27 C2
Landscape Dene. WA6 27 F1
Latham Av. WA6 27 C4
Linden Dri. WA6 27 C4
Lodge Hollow. WA6 27 C2
Longster Clo. WA6 27 C3
Lower Rake La. WA6 27 C1
Lower Robin Hood La.
  WA6 27 C2
Manley Rd. WA6 27 E4
Marlborough Dri. WA6 27 D3
Meadow Clo. WA6 27 C3
Meliden Gro. WA6 27 C4
Milton Gro. WA6 27 C4
Moor La. WA6 27 A4
Morton Av. WA6 27 C4
Mountain Vw. WA6 27 C2
Nemos Clo. WA6 27 E3
Newfield Ter. WA6 27 C4
Old Chester Rd. WA6 27 D2
Orchard Pl. WA6 27 E1
Parkfield Dri. WA6 27 C2
Plovers La. WA6 27 E1
Portland Pl. WA6 27 E1
Priestner Dri. WA6 27 D2
Primrose La. WA6 27 C4
Proffits La. WA6 27 F1
Pyrus Gro. WA6 27 E1
Queens Dri. WA6 27 C2
Redstone Hill. WA6 27 D2
Robin Hood La. WA6 27 C4
Rockfield Dri. WA6 27 D3
*Ruthin Wk,
  Milton Gro. WA6 27 C4
Rydal Gro. WA6 27 C4
Sandringham Av.
  WA6 27 D2
Sandy La. WA6 27 D3
Sherwood Dri. WA6 27 C2
Smithy La. WA6 27 D1
Springfield Av. WA6 27 C2
Station Av. WA6 27 D1
Stephens Gro. WA6 27 D3
Swireford Rd. WA6 27 C3
Tarvin Rd. WA6 27 F3
The Beaches. WA6 27 D1
The Heights. WA6 27 D2
The Orchard. WA6 27 C3
The Paddock. WA6 27 D3
The Rock. WA6 27 D3
Undermount Mws.
  WA6 27 D1
Vale Gdns. WA6 27 D1
Vicarage Hill. WA6 27 E1
Vicarage La. WA6 27 D1
Windsor Dri. WA6 27 D3
Woodford Clo. WA6 27 C3
Wroxham Clo. WA6 27 D1

HOLMES CHAPEL

Aberfeldy Clo. CW4 17 B6
Allumbrook Av. CW4 17 C5
Alum Ct. CW4 17 C6
Arran Clo. CW4 17 C6
Ash Cl. CW4 17 D4
Balmoral Dri. CW4 17 B6
Beeston Clo. CW4 17 A5
Berwick Ct. CW4 17 C5
Bessancourt. CW4 17 C5
Birch Clo. CW4 17 D4
Bowness Clo. CW4 17 B5
Braemar Clo. CW4 17 A6
Bramhall Dri. CW4 17 A5
Broad La. CW4 17 D6
Bromley Dri. CW4 17 B5
Brookfield Dri. CW4 17 B5
Capesthorne Clo. CW4 17 B5
Cartmel Clo. CW4 17 B5
Cavendish Way. CW4 17 A5
Cedar Clo. CW4 17 D4
Chester Rd. CW4 17 B5

Chestnut Dri. CW4 17 D4
*Church Wk,
  Parkway CW4 17 C5
Coniston Dri. CW4 17 A5
Crofters Ct. CW4 17 C6
Danefield Rd. CW4 17 C4
Daresbury Clo. CW4 17 A5
Derwent Clo. CW4 17 B5
Dornoch Ct. CW4 17 B6
Dunbar Clo. CW4 17 C6
Dunoon Clo. CW4 17 B6
Eastgate Rd. CW4 17 D5
Edenhall Clo. CW4 17 A5
Elgin Av. CW4 17 B6
Elm Dri. CW4 17 D4
Elmore Clo. CW4 17 B5
Furness Clo. CW4 17 A5
Gawsworth Clo. CW4 17 B4
Glencoe Clo. CW4 17 C6
Gleneagles Dri. CW4 17 B6
Glenorchy Clo. CW4 17 B5
Grasmere Dri. CW4 17 B5
Haddon Clo. CW4 17 B4
Hatfield Ct. CW4 17 B4
Hawthorn Clo. CW4 17 D4
Hawthorn Villas. CW4 17 C4
Helton Clo. CW4 17 A5
Hermitage Dri. CW4 17 D4
Hillcrest Av. CW4 17 B5
INDUSTRIAL & RETAIL:
Holmes Chapel Ind Est.
  CW4 17 D5
Ingleton Clo. CW4 17 A5
Ironbridge Dri. CW4 17 C6
Jodrell Clo. CW4 17 A5
Knutsford Rd. CW4 17 B4
Lingmell Gdns. CW4 17 A5
Lochmaben Clo. CW4 17 C6
Lockerbie Clo. CW4 17 C6
London Rd. CW4 17 C5
Macclesfield Rd. CW4 17 C5
Mallaig Clo. CW4 17 C6
Manley Clo. CW4 17 B5
Manor La. CW4 17 D6
Maple Clo. CW4 17 D4
Mardale Ct. CW4 17 B5
Marsh La. CW4 17 D6
Mayfield Clo. CW4 17 D5
Middlewich Rd. CW4 17 A5
Montrose Ct. CW4 17 B6
Moreton Dri. CW4 17 B5
Mottram Pl. CW4 17 A5
Nairn Av. CW4 17 B6
North Way. CW4 17 C4
Oakfield Rise. CW4 17 B5
Parkway. CW4 17 C5
Peebles Clo. CW4 17 B6
Perth Clo. CW4 17 B6
Picton Sq. CW4 17 C4
Portree Dri. CW4 17 B6
Ravenscroft. CW4 17 A4
Rees Cres. CW4 17 C4
Riverside Cres. CW4 17 C4
Rydal Clo. CW4 17 B5
Sadlers Clo. CW4 17 B4
St Andrews Dri. CW4 17 C6
St Lukes Clo. CW4 17 D5
Sandiford Rd. CW4 17 A5
Sedburgh Clo. CW4 17 A5
Selkirk Clo. CW4 17 B6
Southlands. CW4 17 C6
Station Rd. CW4 17 C5
Stirling Ct. CW4 17 B6
Strathmore Clo. CW4 17 B6
Sycamore Clo. CW4 17 D5
The Drive. CW4 17 C6
The Milling Field. CW4 17 C6
Thirlmere Clo. CW4 17 A5
Troon Clo. CW4 17 C4
Victoria Av. CW4 17 C6
West Way. CW4 17 B5
Westmorland Ter.
  CW4 17 C5

HOUGH GREEN/ DITTON

Abbey Clo. WA8 28 B4
Abbey Rd. WA8 28 B4
Acreield Rd. WA8 28 C5
Addingham Av. WA8 28 C5
Afton. WA8 28 A2

Aire. WA8 28 A2
Alexander Dri. WA8 28 C4
Almond Gro. WA8 28 C4
Alt. WA8 28 A2
Alverton Clo. WA8 28 D5
Andrew Clo. WA8 28 B4
Appleby Clo. WA8 28 B4
Appleby Wk. WA8 28 B4
Arden. WA8 28 A2
Arkenstone Clo. WA8 28 C2
Arley Dri. WA8 28 A2
Arnold Pl. WA8 28 B5
Ash Gro. WA8 28 C4
Ash La. WA8 28 A4
Ash Priors. WA8 28 C1
Astley Ct. WA8 28 C1
Atterbury Clo. WA8 28 B2
Auburn Clo. WA8 28 C1
Avon. WA8 28 A2
Avondale Dri. WA8 28 B3
Aycliffe Wk. WA8 28 C1
Aylsham Clo. WA8 28 C1
Bankfield Rd. WA8 28 C4
Barons Clo. WA8 28 C4
Beaufort Clo. WA8 28 A4
Bechers. WA8 28 A2
Berry Rd. WA8 28 C3
Billington Rd. WA8 28 B1
Birtley Ct. WA8 28 B3
Blackbrook Clo. WA8 28 C1
Blair Dri. WA8 28 B1
Bloomsbury Way.
  WA8 28 D1
Blundell Rd. WA8 28 C4
Borrowdale Rd. WA8 28 D1
Bowen Clo. WA8 28 D1
Brandon. WA8 28 D2
Briarfield Av. WA8 28 A3
Bridgend Clo. WA8 28 D1
Brinton Clo. WA8 28 D3
Broadheath Ter. WA8 28 D3
Broadway. WA8 28 A3
Brookdale. WA8 28 A1
Broxton Clo. WA8 28 B1
Buckland Clo. WA8 28 C5
Bude Rd. WA8 28 D2
Budworth Av. WA8 28 C1
Burnham Clo. WA8 28 C1
Burnsall Dri. WA8 28 B1
Canterbury Rd. WA8 28 C5
Catford Clo. WA8 28 D3
Cawfield Av. WA8 28 D3
Caxton Clo. WA8 28 B1
Chapel La. WA8 28 C1
Chapmans Clo. WA8 28 D1
Chatsworth Dri. WA8 28 C1
Cherry Sutton Mews/
  WA8 28 A1
Cherrysutton. WA8 28 A1
Chillington Av. WA8 28 D4
Chilwell Clo. WA8 28 D1
Clanfield Av. WA8 28 C1
Clincton Clo. WA8 28 A4
Clincton Vw. WA8 28 A4
Cornerhouse La. WA8 28 A4
Coronation Dri. WA8 28 A4
Coronet Way. WA8 28 A4
Cradley. WA8 28 C2
Crawford Av. WA8 28 B3
Croston. WA8 28 C1
Crossway. WA8 28 C4
Crown Av. WA8 28 B3
Cunningham Rd. WA8 28 D4
Dale Rd. WA8 28 B1
Danescroft. WA8 28 B1
Darley Clo. WA8 28 B1
Deansway. WA8 28 C4
Deepdale. WA8 28 B2
Delamere Av. WA8 28 B3
Derwent Rd. WA8 28 B3
Ditchfield Pl. WA8 28 A4
Ditchfield Rd. WA8 28 A4
Ditton Rd. WA8 28 B6
Downside. WA8 28 B1
Dundale La. WA8 28 D4
Dundalk Rd. WA8 28 D4
Dunsford. WA8 28 B1
Durlston Clo. WA8 28 C2
Eastway. WA8 28 C3
Edendale. WA8 28 B3
Edinburgh Rd. WA8 28 A4
Edwards Way. WA8 28 B4
Ellerton Clo. WA8 28 C1

65

Eskdale. WA8 28 B3
Everite Rd. WA8 28 B5
Eversley. WA8 28 B2
Fenton Clo. WA8 28 B1
Ferndale Ct. WA8 28 C5
Fieldgate. WA8 28 B6
Flander Clo. WA8 28 C2
Foxcote. WA8 28 B2
Francis Clo. WA8 28 C4
Fulbeck. WA8 28 B2
Gainford Clo. WA8 28 C1
Gainsborough Ct.
  WA8 28 B3
Gaisgill Ct. WA8 28 B3
Gathurst Ct. WA8 28 C4
Gavin Rd. WA8 28 A5
Gleadmere. WA8 28 B2
Glenn Pl. WA8 28 D3
Graham Clo. WA8 28 C4
Graham Rd. WA8 28 C4
Grange Dri. WA8 28 D3
Great Ashfield. WA8 28 C1
Green La. WA8 28 D3
Grizedale. WA8 28 B2
Gutticar Rd. WA8 28 B4
Haddon Dri. WA8 28 B1
Hale Rd. WA8 28 B6
Hall Av. WA8 28 A3
Hambleton Clo. WA8 28 B1
Hanley Clo. WA8 28 C3
Hanley Rd. WA8 28 B3
Heath Rd. WA8 28 D2
Heathfield Pk. WA8 28 C1
Heralds Clo. WA8 28 B5
Heyes Rd. WA8 28 B4
Hoscar Ct. WA8 28 C5
Hough Green Rd.
  WA8 28 A2
INDUSTRIAL & RETAIL:
Everite Rd Ind Est.
  WA8 28 A5
Gold Triangle Complex.
  WA8 28 B6
St Michaels Rd
  Ind Est. WA8 28 C6
Iris Clo. WA8 28 B2
Jasmine Gro. WA8 28 D3
Jubilee Way. WA8 28 D3
Kelsall Clo. WA8 28 D3
Kenneth Rd. WA8 28 B5
Kershaw St. WA8 28 D3
Keswick Clo. WA8 28 B4
Lakeside Clo. WA8 28 A5
Laleston Clo. WA8 28 D5
Langdale Clo. WA8 28 C1
Langton Clo. WA8 28 B4
Lea Cross Gro. WA8 28 C1
Leigh Grn Clo. WA8 28 B4
*Levens Way,
  Appleby Clo. WA8 28 A4
Lewis Gro. WA8 28 D3
Lingwell Rd. WA8 28 D2
Liverpool Pl. WA8 28 C3
Liverpool Rd. WA8 28 A3
Lodge Rd. WA8 28 B4
Lonsdale Clo. WA8 28 B4
Looe Clo. WA8 28 B4
Lune Way. WA8 28 B4
Lynton Cres. WA8 28 D2
Manor Pl. WA8 28 B3
Manor Rd. WA8 28 B4
Marling Pk. WA8 28 A3
Marshgate. WA8 28 B6
Mayfair Gro. WA8 28 D3
Mayfield Av. WA8 28 A3
Meadow Clo. WA8 28 D1
Meadway. WA8 28 A3
Misty Clo. WA8 28 C2
Montgomery Rd. WA8 28 C4
Mortlake Clo. WA8 28 C1
Moyles Clo. WA8 28 D2
Myrtle Gro. WA8 28 C4
Netherfield. WA8 28 B3
New Bank Pl. WA8 28 B3
New Bank Rd. WA8 28 B3
Newland Clo. WA8 28 C1
Nicholas Rd. WA8 28 C4
Norfolk Pl. WA8 28 C5
Northern La. WA8 28 A1
Northway. WA8 28 A4
Oakfield Dri. WA8 28 A4
Old La. WA8 28 D1
Old Upton La. WA8 28 D1
Oldgate. WA8 28 B6

Orchard Way. WA8 28 A1
Ormond Clo. WA8 28 C2
Parbold Ct. WA8 28 C5
Parklands. WA8 28 C1
Parlington Clo. WA8 28 C5
Philip Rd. WA8 28 B4
Pitville Ter. WA8 28 B5
Poleacre Dri. WA8 28 C1
Porthcawl Clo. WA8 28 C1
Poulton Dri. WA8 28 C5
Preece Clo. WA8 28 D1
Prescot Rd. WA8 28 C2
Primrose Clo. WA8 28 D3
Princes Pl. WA8 28 D3
Queens Av. WA8 28 B4
Queensbury Way.
  WA8 28 C2
Radford Clo. WA8 28 B5
Radnor Dri. WA8 28 C3
Rainbow Clo. WA8 28 C1
Ravenfield Dri. WA8 28 B1
Regal Cres. WA8 28 B4
Revesby Clo. WA8 28 C2
Rock La. WA8 28 D1
Rockfield Clo. WA8 28 D2
Rostherne Cres. WA8 28 C2
Rowthorn Clo. WA8 28 D5
Royal Av. WA8 28 A4
Royal Pl. WA8 28 A4
Rufford Clo. WA8 28 C2
Rydal Way. WA8 28 C4
St George Ct. WA8 28 D4
St Mawes Clo. WA8 28 D2
St Michaels Clo. WA8 28 B6
St Michaels Rd. WA8 28 C5
St Thomas Ct. WA8 28 D3
Sandiway Av. WA8 28 A3
Sherwood Clo. WA8 28 B3
Shipton Clo. WA8 28 C1
Simonside. WA8 28 B2
Somerville Rd. WA8 28 D4
Southway. WA8 28 C4
Speke Rd. WA8 28 A5
Spinney Av. WA8 28 A3
Springfield Rd. WA8 28 A4
Standish Ct. WA8 28 C4
Stockswell Rd. WA8 28 A1
Suffolk Pl. WA8 28 C5
Sunningdale Dri. WA8 28 B3
Tabley Av. WA8 28 C2
Tate Clo. WA8 28 D2
Tedder Sq. WA8 28 C4
Telford Clo. WA8 28 D1
Thirlmere Way. WA8 28 B4
Thornton. WA8 28 D4
Tiverton Clo. WA8 28 B1
Turnall Rd. WA8 28 A5
Turner Clo. WA8 28 C1
Upton Grange. WA8 28 D1
Warkworth Clo. WA8 28 C1
Warnley Clo. WA8 28 D1
Wavell Av. WA8 28 C5
Westgate. WA8 28 B5
Westminster Clo. WA8 28 B4
Whernside. WA8 28 C2
Wilsden Rd. WA8 28 A3
Winchester Pl. WA8 28 C4
Woodstock Gro. WA8 28 C2
Woodview Cres. WA8 28 A4
Woodview Rd. WA8 28 A4
Woodville Pl. WA8 28 C3
Wyncroft Clo. WA8 28 B5
Wyncroft Rd. WA8 28 B5
York Rd. WA8 28 B4

KNUTSFORD

Acacia Av. WA16 29 A2
Adams Hill. WA16 29 C2
Albert St. WA16 29 B2
Arundel Clo. WA16 29 C4
Ash Gro. WA16 29 F2
Ashworth Pk. WA16 29 B3
Astley Clo. WA16 29 E4
Autumn Av. WA16 29 E2
Aylesby Clo. WA16 29 D3
Beech Dri. WA16 29 D3
Beechwood. WA16 29 E2
Beeston Dri. WA16 29 C4
Beggarmans La.
  WA16 29 C4

Bexton Ct. WA16 29 B3
Bexton La. WA16 29 B4
Bexton Rd. WA16 29 B3
Birch Gro. WA16 29 F2
Blackhill La. WA16 29 B1
Boothfields. WA16 29 E1
Bracken Way. WA16 29 C4
Braidwood Av. WA16 29 E1
Branden Dri. WA16 29 D2
Briar Clo. WA16 29 C1
Brook La. WA16 29 D3
Brook St. WA16 29 C2
Brookdale Av. WA16 29 E2
Buckingham Dri.
  WA16 29 D3
Cannon Sq. WA16 29 C2
Canute Pl. WA16 29 C2
Carrwood. WA16 29 E3
Chelford Rd. WA16 29 D3
Church Hill. WA16 29 C2
Church Mws. WA16 29 C2
Church Vw. WA16 29 C2
Churchfields. WA16 29 E1
Comber Way. WA16 29 C4
Conway Clo. WA16 29 E1
Coppice Gro. WA16 29 C1
Coronation Sq. WA16 29 C2
Cranford Av. WA16 29 B2
Cranford Sq. WA16 29 B2
Croft La. WA16 29 D4
Delmar Rd. WA16 29 E3
Downs End. WA16 29 E3
Drury La. WA16 29 C1
East Ter. WA16 29 B2
Egerton Sq. WA16 29 C2
Ella Gro. WA16 29 D2
Fairmead. WA16 29 B3
Fir Tree Av. WA16 29 E3
Fletcher Ct. WA16 29 B2
Forester Av. WA16 29 E2
Fox Gro. WA16 29 E2
Freshfields. WA16 29 A1
Garden Rd. WA16 29 B1
Gaskell Av. WA16 29 B2
George St. WA16 29 C1
Glebelands Rd. WA16 29 C3
Gloucester Rd. WA16 29 B3
Goughs La. WA16 29 E4
Grassfield Way. WA16 29 C4
Grebe Clo. WA16 29 D1
Green Acre Clo. WA16 29 D4
Green St. WA16 29 C2
Grove Pk. WA16 29 C3
Haig Rd. WA16 29 E1
Hallside Pk. WA16 29 E3
Hayfields. WA16 29 E1
Hayton St. WA16 29 B3
Heathfield Sq. WA16 29 B2
Helena Clo. WA16 29 E1
Heritage Way. WA16 29 C2
Heron Clo. WA16 29 D1
Higher Downs. WA16 29 E2
Highland Way. WA16 29 C4
Hillside Rd. WA16 29 C1
Holford Cres. WA16 29 D3
Hollingford Pl. WA16 29 C4
Hollow La. WA16 29 D2
INDUSTRIAL & RETAIL:
Longridge Ind Est.
  WA16 29 F1
Kenilworth Av. WA16 29 E2
Kestrel Av. WA16 29 D1
King Edward Rd.
  WA16 29 C2
King St. WA16 29 C1
Ladies Mile. WA16 29 B1
Lee Clo. WA16 29 B3
Legh Gdns. WA16 29 D3
Legh Rd. WA16 29 D3
Leigh Av. WA16 29 E1
Leycester Clo. WA16 29 E4
Leycester Rd. WA16 29 D4
Lichfield Clo. WA16 29 F2
Lilac Av. WA16 29 A2
Lindop Clo. WA16 29 E2
Lodge Rd. WA16 29 E1
Longridge. WA16 29 F1
Lovat Dri. WA16 29 D1
Lowe Dri. WA16 29 D1
Lowland Way. WA16 29 C4
Lynton Clo. WA16 29 E3
Mallard Clo. WA16 29 D1
Malt St. WA16 29 C2
Malvern Rd. WA16 29 B3

Manchester Rd. WA16 29 A1
Manor Cres. WA16 29 D2
Manor Pk Nth. WA16 29 E1
Manor Pk Sth. WA16 29 D3
Mansion Dri. WA16 29 D2
*Marble Arch,
  Egerton Sq. WA16 29 C2
Marcliff Gro. WA16 29 C2
Mead Clo. WA16 29 B3
Meadow Dri. WA16 29 B3
Mellor Cres. WA16 29 A3
Mereheath La. WA16 29 B1
Mereheath Pk. WA16 29 B1
Merlin Av. WA16 29 D1
Merriman Av. WA16 29 E1
Middle Wk. WA16 29 D2
Minshull St. WA16 29 D2
Mobberley Rd. WA16 29 D2
Molly Potts Clo.
  WA16 29 D4
Montmorency Rd.
  WA16 29 F1
Moordale Rd. WA16 29 C2
Moorside. WA16 29 C2
Moulton Clo. WA16 29 E2
Norbury Clo. WA16 29 E1
North Downs. WA16 29 E2
Northfields. WA16 29 E1
Northwich Rd. WA16 29 A2
Oak Vw. WA16 29 D4
Oakfield Av. WA16 29 E1
Oakleigh. WA16 29 E4
Old Market Pl. WA16 29 C2
Over Pl. WA16 29 C2
Overfields. WA16 29 F1
Parkfield Rd. WA16 29 D4
Parkgate. WA16 29 E1
Parkgate La. WA16 29 E1
Parkhill Ct. WA16 29 D3
Pevensey Dri. WA16 29 C4
Princess St. WA16 29 C2
Queen St. WA16 29 B1
Queensway. WA16 29 A1
Racefield Rd. WA16 29 B2
Red Cow Yd. WA16 29 C2
Rockford Lodge.
  WA16 29 E3
*Roscoes Yd,
  Tatton St. WA16 29 C2
Rowley Way. WA16 29 D4
Roxby Way. WA16 29 C4
Ruskin Ct. WA16 29 C1
Ruskin Way. WA16 29 C1
Rutherford Dri. WA16 29 E4
St Georges Clo. WA16 29 E4
St Johns Av. WA16 29 B3
St Johns Rd. WA16 29 B3
St Peters Av. WA16 29 B3
Sandileigh Av. WA16 29 B2
Sandiway. WA16 29 D2
School Clo. WA16 29 A3
Seymour Chase.
  WA16 29 C4
Sharston Cres. WA16 29 D2
Shaw Dri. WA16 29 E1
Silk Mill Way. WA16 29 C2
South Downs. WA16 29 E3
Southfields. WA16 29 E1
Sparrow La. WA16 29 D3
Spinney La. WA16 29 A1
Springfields. WA16 29 E1
Springwood Av. WA16 29 E1
Stanley Rd. WA16 29 B2
Sugar Pit La. WA16 29 A1
Summerfields. WA16 29 E1
Summers Clo. WA16 29 C4
Summers Way. WA16 29 C4
Swinton Sq. WA16 29 C2
Tabley Clo. WA16 29 A1
Tabley Gro. WA16 29 A2
Tabley Rd. WA16 29 A1
Tatton Ct. WA16 29 C1
*Tatton Lodge,
  King St. WA16 29 C2
Tatton St. WA16 29 C1
Teal Av. WA16 29 D1
Thorneyholme Dri.
  WA16 29 D2
Toft Rd. WA16 29 C2
Townfields. WA16 29 E2
Tree Way. WA16 29 C3
Trevone Clo. WA16 29 C3
Valley Clo. WA16 29 C4
Valley Way. WA16 29 C4

*Victoria Ct,
  Bexton Rd. WA16 29 B2
Victoria St. WA16 29 B1
Warren Av. WA16 29 A2
Warren Clo. WA16 29 A2
Warwick Clo. WA16 29 E3
Westfield Dri. WA16 29 A3
Willow Grn. WA16 29 B1
Windsor Way. WA16 29 B2
Woodlands Ct. WA16 29 D2
Woodlands Dri. WA16 29 D2
Woodside. WA16 29 D2
Woodvale Rd. WA16 29 C3
Yewlands Dri. WA16 29 E2

LIVERPOOL

Addison St. L3 30 C1
Addison Way. L3 30 C1
Adlington St. L3 30 C1
Ainsworth St. L3 30 E3
Anson Pl. L3 30 F2
Anson St. L3 30 F2
Argyle St. L1 30 C4
Arrad St. L7 30 F4
Audley St. L3 30 F2
Back Berry St. L1 30 D4
Back Colquitt St. L1 30 D4
Back Leeds St. L3 30 A1
Baltimore St. L1 30 F4
Basnett St. L1 30 D3
Bath St. L3 30 A1
Bayhorse La. L3 30 F2
Benson St. L1 30 E4
Berry St. L1 30 E4
Birchfield St. L3 30 F1
Bishpham St. L3 30 C1
Bixeth St. L3 30 B2
Bold Pl. L1 30 E4
Bold St. L1 30 D3
Bolton St. L3 30 D3
Bridport St. L3 30 E2
Bronte St. L3 30 E3
Brook St. L3 30 A2
Brooks Alley. L1 30 D3
Brownlow Hill. L3 30 E3
Brownlow St. L3 30 F3
Brunswick St. L2 30 A3
Brythen St. L2 30 D3
Button St. L2 30 C3
Byrom St. L3 30 D1
Cable St. L1 30 B3
Caledonia St. L7 30 F4
Camden St. L3 30 E2
Campbell St. L1 30 C4
Canada Blvd. L2 30 A3
Canning Pl. L1 30 B4
Canterbury St. L3 30 F1
Canterbury Way. L3 30 F1
Carver St. L3 30 F1
Castle St. L2 30 B3
Chapel St. L3 30 A2
*Charlotte Way,
  St Johns Precinct.
  L1 30 D3
Cheapside. L2 30 C2
Christian St. L3 30 D1
Church Alley. L1 30 C3
Church St. L1 30 C3
Churchill Way. L3 30 C1
Clarence St. L3 30 F3
Clayton Sq. L1 30 D3
Cleveland Sq. L1 30 C4
Clifford St. L3 30 E1
Cockspur St. L3 30 B1
Cockspur St West. L3 30 B1
College La. L1 30 C3
Colquitt St. L1 30 E4
Commutation Row. L1 30 D4
Concert St. L1 30 D4
Constance St. L3 30 F2
Cook St. L2 30 B3
Copperas Hill. L3 30 E3
Covent Gdn. L2 30 B2
Craven St. L3 30 E1
Cropper St. L1 30 D3
Crosshall St. L1 30 C2
Cuerdon St. L1 30 D2
Cumberland St. L1 30 C2
Cunliffe St. L2 30 B2
Dale St. L3 30 B2
Dansie St. L3 30 F2

Davies St. L1 30 C2
Dawson St. L1 30 C3
*Dawson Way, St Johns Precinct. L1 30 D3
Derby Sq. L2 30 B3
Devon St. L3 30 F1
Dorans La. L1 30 C3
Drury La. L2 30 B3
Duckinfield St. L3 30 F3
Duke St. L1 30 C4
Earle St. L3 30 B2
East St. L3 30 B1
Eberle St. L2 30 B2
Edmund St. L3 30 B2
Edward St. L3 30 E3
Elliot St. L1 30 D3
Exchange St East. L2 30 B2
Fairclough St. L1 30 D3
*Falkland St, Finch Pl. L3 30 F2
Fazackerley St. L3 30 A2
Fenwick St. L2 30 B3
Finch Pl. L3 30 F1
Fleet St. L1 30 D3
Fontenoy St. L3 30 D1
Forrest St. L1 30 C4
Franceys St. L3 30 E3
Fraser St. L3 30 E2
Freemasons Row. L3 30 C1
Galton St. L3 30 A1
Gascoyne St. L3 30 B1
George St. L3 30 B2
Georges Dockgates. L2 30 A3
Georges Dockway. L2 30 A3
Georges Pa. L2 30 A3
Georges Pierhead. L2 30 A3
Gerard St. L3 30 D1
Gibraltar Row. L3 30 A1
Gilbert St. L1 30 C4
Gildart St. L3 30 F1
Gill St. L3 30 F2
*Gladstone St, Freemasons Row. L3 30 C1
Goree. L2 30 B3
Gradwell St. L1 30 C4
Great Charlotte St. L1 30 D3
*Great Charlotte St, Roe St. L1 30 D2
Great Crosshall St. L3 30 C1
Great Howard St. L3 30 A1
Great Newton St. L3 30 F2
Great Orford St. L3 30 F3
Greek St. L3 30 F2
Green La. L3 30 E3
Greenock St. L3 30 A1
Hackins Hey. L2 30 B2
Haigh St. L3 30 F1
*Hale St, Vernon St. L2 30 C2
Hanover St. L1 30 C4
Hardman St. L1 30 E4
Harker St. L3 30 E1
Harrington St. L2 30 B3
Hart St. L3 30 E2
Hatton Gdn. L3 30 C1
Hawke St. L3 30 E3
Heathfield St. L1 30 E4
Henry Edward St. L3 30 C1
Henry St. L1 30 C4
Hewitts Pl. L2 30 C2
High St. L2 30 B2
Highfield St. L3 30 B1
Hilbre St. L3 30 E3
Hockenhall Alley. L2 30 C2
Holy Cross Clo. L3 30 C1
Hood St. L1 30 D2
Hope Pl. L1 30 F4
Hope St. L1 30 F4
Hotham St. L3 30 E2
*Houghton La, Houghton St. L1 30 D3
Houghton St. L1 30 D3
*Houghton Way, St Johns Precinct. L1 30 D3
Hunter St. L3 30 D1
Ilford St. L3 30 F2
Irwell St. L2 30 B4
Islington. L3 30 E1
James St. L2 30 B3
Jervis St. L3 30 F2
Johnson St. L3 30 C1
Johnes St. L3 30 E3
Kempston St. L3 30 E2
King Edward St. L3 30 A1
Lace St. L3 30 C1
Lad La. L3 30 A2
Lakeland Clo. L1 30 C4
Langsdale St. L3 30 F1
Lanyork Rd. L3 30 A1
Lawton St. L1 30 D3
Leather La. L2 30 B2
Leece St. L1 30 E4
Leeds St. L3 30 A1
Leigh St. L1 30 C3
Lime St. L1 30 D2
Liver St. L1 30 C4
London Rd. L3 30 D2
Lord Nelson St. L3 30 D2
Lord St. L2 30 B3
Lower Castle St. L2 30 B3
Lumber St. L3 30 B2
Lydia Ann St. L1 30 D4
Manchester St. L1 30 C2
Manestys La. L1 30 C4
Mann Island. L2 30 A3
Mansfield St. L3 30 E1
Maritime Pl. L3 30 F1
Maritime Way. L1 30 C4
*Market Sq, St Johns Precinct. L1 30 D3
*Market Way, St Johns Precinct. L1 30 D3
*Marlborough Pl, Marlborough St. L3 30 C1
Marlborough St. L3 30 C1
Marquis St. L3 30 F2
Marybone. L3 30 C1
Maryland St. L1 30 F4
Mathew St. L2 30 C3
May St. L3 30 E3
Mercury Ct. L 30 B2
Midgehall St. L3 30 C1
Mill La. L1 30 D2
Moor Pl. L3 30 F2
Moor St. L2 30 B3
Moorfields. L2 30 B2
Mount Pleasant. L3 30 E3
Myrtle St. L7 30 F4
Naylor St. L3 30 B1
New Islington. L3 30 E1
Newington. L1 30 D4
Newton Way. L3 30 F3
*Norman St, Oakes St. L3 30 F2
North John St. L2 30 B2
North St. L3 30 C2
Norton St. L3 30 E2
Oakes St. L3 30 F2
Old Church Yd. L3 30 A2
Old Hall St. L3 30 A1
Old Haymarket. L1 30 D2
Old Leeds St. L3 30 A1
*Old Post Office Pl, Brooks Alley. L1 30 D3
Old Ropery. L2 30 B3
Oldham Pl. L1 30 E4
Oldham St. L1 30 E4
*Oriel Clo, Tower Gdn. L2 30 A2
Ormond St. L3 30 B2
Oxford St. L7 30 F4
Page Wk. L3 30 F1
Paisley St. L3 30 A1
Pall Mall. L3 30 B1
Paradise St. L1 30 C4
Park La. L1 30 C4
Parker St. L1 30 D3
Parr St. L1 30 D4
Pembroke Pl. L3 30 F2
Pembroke St. L3 30 F2
Peter St. L1 30 C2
Peters La. L1 30 C4
Phillips St. L3 30 B1
Pickop St. L3 30 C1
Pilgrim St. L1 30 F4
Pleasant St. L3 30 E3
Pomona St. L3 30 F3
Preston St. L1 30 C2
Primrose Hill. L3 30 C1
Princes Gdns. L3 30 B1
Princes St. L2 30 B2
Progress Pl. L2 30 C2
Prussia St. L3 30 B1
Pudsey St. L1 30 E2
Quakers Av. L2 30 B2
Queen Anne St. L3 30 E1
Queen Av. L2 30 B3
Queen Sq. L1 30 D2
Queensway Entrance. L1 30 C2
Rainford Gdns. L2 30 C3
Rainford Sq. L2 30 C3
*Ranelagh Pl, Ranelagh St. L1 30 D3
Ranelagh St. L1 30 D3
Red Cross St. L2 30 B3
Renshaw St. L1 30 E3
Richmond St. L1 30 C3
Riding St. L3 30 F2
Rigby St. L3 30 A1
Roberts St. L3 30 A1
Roderick St. L3 30 E1
Rodney St. L1 30 E4
Roe St. L1 30 D2
Roscoe. L1 30 E4
Roscoe La. L1 30 E4
Roscoe St. L1 30 E4
*Rose St, Roe St. L1 30 D2
Royal Mail St. L3 30 E3
Rumford Pl. L3 30 A2
Rumford St. L2 30 B2
Russell St. L3 30 E2
*Ryleys Gdns, Moorfields. L2 30 B2
St Andrew St. L3 30 F3
St Anne St. L3 30 E1
St Georges Pl. L1 30 D2
*St Georges Way, St Johns Precinct. L1 30 D3
St Johns La. L1 30 D2
St Johns Precinct. L1 30 D3
*St Johns Sq, St Johns Precinct. L1 30 D3
*St Johns Way, St Johns Precinct. L1 30 D3
St Josephs Cres. L3 30 D1
St Nicholas Pl. L2 30 A3
St Pauls Sq. L3 30 B1
St Stephens Pl. L3 30 D1
St Vincent St. L3 30 E2
St Vincent Way. L3 30 E2
Salisbury St. L3 30 F1
School La. L1 30 C3
Seel St. L1 30 D4
Seymour St. L3 30 E2
Shaw St. L6 30 F1
*Shaws Alley, Price St. L1 30 C4
Sim St. L3 30 E1
Sir Thomas St. L1 30 C2
Skelhorne St. L3 30 D3
Slater Pl. L1 30 D4
Slater St. L1 30 D4
Smithfield St. L3 30 B1
Soho Sq. L3 30 E1
Soho St. L3 30 E1
South Hunter St. L1 30 F4
South John St. L1 30 C3
Springfield. L3 30 E1
Stafford St. L3 30 E1
Standish St. L3 30 C1
Stanley St. L1 30 C2
Stephens La. L2 30 B2
Stockdale Clo. L3 30 C1
Stowell St. L7 30 F4
Strada Way. L3 30 F1
Strand St. L2 30 B3
Suffolk St. L1 30 D4
*Sugnall St, Caledonia St. L7 30 F4
Surrey St. L1 30 C4
Sweeting St. L2 30 B3
Tarleton St. L1 30 C3
Tempest Hey. L2 30 B2
Temple Ct. L2 30 C3
Temple Pl. L2 30 C2
Temple St. L2 30 C2
The Strand. L2 30 B3
Tithebarn St. L2 30 B2
Tom Mann Clo. L3 30 D1
Tower Gdn. L2 30 A3
*Trinity Wk, New Islington. L3 30 E1
Trowbridge St. L3 30 F2
Trueman St. L3 30 C2
Tyrer St. L1 30 D3
Union Ct. L2 30 B3
Union St. L3 30 A2
Upper Newington. L1 30 E3
Vauxhall Rd. L3 30 B1
Vernon St. L2 30 B2
Victoria St. L1 30 C3
*Virginia St, St Pauls Sq. L3 30 B1
Wakefield St. L3 30 E1
Waldron Clo. L3 30 C1
Wapping. L3 30 B4
Warren St. L3 30 E3
Water St. L2 30 A3
Waterloo Rd. L3 30 A1
Webster St. L3 30 C1
Westmorland Dri. L3 30 B1
Whitechapel. L1 30 C2
William Brown St. L1 30 D2
Williamson Sq. L1 30 C3
Williamson St. L1 30 C3
Wilton St. L3 30 E1
Wolstenholme Sq. L1 30 D4
Wood St. L1 30 D3
York St. L1 30 C4

LYMM

Albany Cres. WA13 31 B1
Albany Gro. WA13 31 A1
Albany Rd. WA13 31 A2
Arley Gro. WA13 31 D3
Ash Rd. WA13 31 A2
Barsbank Clo. WA13 31 A2
Barsbank La. WA13 31 A2
Baycliffe. WA13 31 B3
Bellsfield Clo. WA13 31 D3
Bollin Clo. WA13 31 D1
Bollin Dri. WA13 31 D1
Booths Hill Clo. WA13 31 B3
Booths Hill Rd. WA13 31 A2
Bridgewater Ct. WA13 31 A2
Bridgewater St. WA13 31 C2
Brook Rd. WA13 31 B1
Brookfield Clo. WA13 31 B2
Brookfield Rd. WA13 31 B2
Brooklyn Dri. WA13 31 C1
Brookside Av. WA13 31 A1
Cherry La. WA13 31 A3
Cherry Tree Av. WA13 31 B3
Church Rd. WA13 31 B2
Churchwood Vw. WA13 31 D2
Crossfield Av. WA13 31 D2
Crouchley La. WA13 31 C3
Cyril Bell Clo. WA13 31 D2
Dairyfarm Clo. WA13 31 C2
Daisybank Rd. WA13 31 A2
Dane Bank Rd. WA13 31 C2
Dane Bank Rd East. WA13 31 C1
David Rd. WA13 31 A2
Davies Way. WA13 31 B2
Dingle Bank Clo. WA13 31 B2
Domville Clo. WA13 31 C2
*Dyers Clo, Dyers La. WA13 31 D1
Dyers La. WA13 31 D1
Eagle Brow. WA13 31 B2
Egerton Rd. WA13 31 A3
Elm Tree Av. WA13 31 B3
Elm Tree Rd. WA13 31 B3
Fairfield Rd. WA13 31 D2
Fletchers La. WA13 31 D1
Fox Gdns. WA13 31 A1
Grammar School Rd. WA13 31 D3
Grasmere Rd. WA13 31 D1
Greenwood Rd. WA13 31 C3
Grove Av. WA13 31 A2
Grove Rise. WA13 31 C2
Hardy Rd. WA13 31 A3
Hartley Clo. WA13 31 C2
Hawthorn Rd. WA13 31 A2
Hazel Dri. WA13 31 D3
Henry St. WA13 31 C2
Heyes Dri. WA13 31 A3
Higher La. WA13 31 C3
Highfield Dri. WA13 31 A3
Highfield Rd. WA13 31 A2
Hilltop Rd. WA13 31 A3
John Rd. WA13 31 A2
Jubilee Gro. WA13 31 A1
Lakeside Rd. WA13 31 B3
Langdale Av. WA13 31 D1
*Legh St, Bridgewaer St. WA13 31 C2
Limefield Av. WA13 31 D3
Linden Clo. WA13 31 D1
Longbutt La. WA13 31 D2
Lyme Gro. WA13 31 A3
Lymhay La. WA13 31 C1
Lymmington Av. WA13 31 A2
Maltmans Rd. WA13 31 B2
Manor Clo. WA13 31 C3
Manor Rd. WA13 31 C3
Mardale Cres. WA13 31 D1
Mayfield Vw. WA13 31 C3
Meadow Vw. WA13 31 B1
Millbank. WA13 31 C2
Moston Gro. WA13 31 B2
New Rd. WA13 31 C2
Newfield Rd. WA13 31 A2
Northway. WA13 31 B1
Oak Rd. WA13 31 A2
Oaklands Dri. WA13 31 B3
Old Smithy La. WA13 31 A3
Oldfield Rd. WA13 31 A1
Orchard Av. WA13 31 D2
Parkwood Clo. WA13 31 B3
Pepper St. WA13 31 C2
Pool La. WA13 31 A1
Princess Rd. WA13 31 A2
Quayside Mws. WA13 31 C2
Racefield Clo. WA13 31 D2
Rectory Gdns. WA13 31 C3
Rectory La. WA13 31 C3
Reddish Cres. WA13 31 D1
Reddish La. WA13 31 C1
Ridgeway Gdns. WA13 31 B2
Rose Bank. WA13 31 C2
Rush Gdns. WA13 31 D1
Rushgreen Rd. WA13 31 C1
Scholars Green La. WA13 31 D2
Stamford Ct. WA13 31 C2
Star La. WA13 31 A1
Statham Av. WA13 31 A2
Statham Clo. WA13 31 B2
Statham Dri. WA13 31 B2
Sycamore Dri. WA13 31 B1
The Anchorage. WA13 31 B2
The Crescent. WA13 31 D3
The Cross. WA13 31 C2
The Dingle. WA13 31 C2
The Hatchings. WA13 31 C2
The Peppers. WA13 31 C2
The Square. WA13 31 C2
Thirlmere Clo. WA13 31 D2
Thornley Clo. WA13 31 A2
Thornley Rd. WA13 31 A2
Tower La. WA13 31 D3
Turnberry Clo. WA13 31 A1
Warrington Rd. WA13 31 A1
Wayside Clo. WA13 31 B3
Westheath Gro. WA13 31 A1
West Hyde. WA13 31 A2
Whitbarrow Rd. WA13 31 A1
Whitesands Rd. WA13 31 A1
Willow Clo. WA13 31 C1
Woodland Av. WA13 31 D3
Woodland Dri. WA13 31 D3
Wychwood Av. WA13 31 A3
Yew Tree Clo. WA13 31 C1

MACCLESFIELD

Abbey Rd. SK10 32 D1
Abbotts Clo. SK10 32 D1
Abingdon Clo. SK11 32 B2
Acton Pl. SK11 32 A3
Adelaide St. SK10 33 F2
Adlington St. SK10 32 D3
Albert St. SK11 32 D3
*Alderley Wk, Jodrell St. SK11 33 F4
Alderney Clo. SK11 32 B3
Alison Dri. SK10 33 G2

MANCHESTER

Gun St. M4 34 F1
Hall St. M2 34 C3
Hanging Ditch. M4 34 C1
Hanover St. M4 34 D1
Harding St. M4 34 B1
Hardman St. M3 34 B3
Hart St. M1 34 D3
Hart St. M1 34 E3
Harter St. M1 34 D3
Henry St. M4 34 F1
High St. M4 34 D2
Hilton St. M1 34 E2
Hood St. M4 34 F1
Hope St. M1 34 E2
Houldsworth St. M1 34 E1
Jacksons Row. M2 34 B3
Jersey St. M4 34 F1
John Dalton St. M2 34 B2
John St. M3 34 A1
John St. M4 34 E1
Joiner St. M4 34 D1
Jutland St. M1 34 F2
Kennedy St. M2 34 C2
King St. M2 34 C2
King St West. M3 34 B2
Lamb Ct. M3 34 A1
Laystall St. M1 34 F2
Left Bank. M3 34 A2
Lena St. M1 34 E2
Lever St. M1 34 E2
Leycroft St. M1 34 F3
Library Wk. M2 34 C3
Little Ancoats St. M1 34 F1
Little Lever St. M1 34 F1
Liverpool Rd. M3 34 A3
Lloyd St. M2 34 B3
London Rd. M1 34 F3
Longworth St. M3 34 B3
Loom St. M4 34 F1
Lower Byrom St. M3 34 A3
Lower Hardman St. M3 34 A2
Lower Mosley St. M2 34 B4
Luna St. M4 34 F1
Major St. M1 34 D3
Marble St. M2 34 D2
Mark La. M4 34 D1
Market St. M1 34 D2
Marsden St. M2 34 C2
Milk St. M2 34 D2
Minshull St. M1 34 E3
Mosley St. M2 34 C3
Mount St. M2 34 C3
Mulberry St. M2 34 B2
Murray St. M4 34 F1
Museum St. M2 34 C3
New Bailey St. M3 34 A2
New Market. M2 34 C2
New Quay St. M3 34 A2
New Wakefield St. M1 34 D4
Newgate St. M4 34 D1
Newton St. M1 34 E2
Nicholas St. M1 34 D3
Norfolk St. M2 34 C2
Oak St. M4 34 E1
Ogden St. M1 34 D4
Old Bank St. M2 34 C2
Oldham Rd. M4 34 E1
Oldham St. M1 34 E2
Oxford Ct. M2 34 D4
Oxford St. M1 34 C3
Pall Mall. M2 34 C2
Parker St. M1 34 D2
Paton St. M1 34 E2
Peak St. M1 34 F2
Peter St. M2 34 B3
Phoenix St. M2 34 D2
Piccadilly. M1 34 D2
Pickford St. M1 34 F1
Pigeon St. M1 34 F2
Pine St. M1 34 D3
Police St. M2 34 B2
Port St. M1 34 E2
Portland St. M1 34 C4
Princess St. M2 34 C2
Pritchard St. M1 34 D4
Quay St, Salford. M3 34 A1
Quay St. M3 34 A3
Queen St. M2 34 B2
Ralli Cts. M3 34 A2
Red Lion St. M4 34 D1
Redhill St. M4 34 F2
Reyner St. M1 34 D3
Rice St. M3 34 A4

Richmond St. M1 34 D4
Ridgefield. M2 34 B2
Roby St. M1 34 E3
Rozel Sq. M3 34 A3
Sackville St. M1 34 D3
St Anns Alley. M2 34 C2
St Anns Sq. M2 34 C2
St Anns St. M2 34 C2
St James Sq. M2 34 C2
St James St. M2 34 C2
St Johns Passage. M3 34 A3
St Johns St. M3 34 A3
St Marys Gate. M1 34 C1
St Marys Parsonage. M3 34 B2
St Peters Sq. M2 34 C3
Salford Appr. M3 34 B1
Salmon St. M4 34 D1
Sheffield St1 34 F3
Shepley St. M1 34 E3
Sherratt St. M4 34 F1
Shudehill. M4 34 D1
Sillavan Way. M3 34 A1
Silver St. M1 34 D3
Soap St. M4 34 D1
South King St. M2 34 B2
Southern St. M3 34 A4
Southgate. M3 34 B2
Southmill St. M2 34 B3
Sparkle St. M1 34 F3
Spear St. M1 34 E2
Spinningfield. M3 34 B2
Spring Gdns. M2 34 C2
Stanley St. M3 34 A2
Station App, Salford Sta. M3 34 D4
Station App, Piccadilly Sta. M1 34 E3
Stevenson Sq. M1 34 E1
Stone St. M3 34 A4
Store St. M1 34 F3
Sussex St. M3 34 A2
Swan St. M4 34 E1
Tariff St. M1 34 E2
Tasle Alley. M2 34 C2
Thomas St. M4 34 D1
Thornley Bridge. M4 34 D1
Tib La. M2 34 C2
Tib St. M4 34 D2
Tivoli St. M3 34 B3
Tonman St. M3 34 A4
Trafford St. M1 34 B4
Travis St. M1 34 F4
Trinity Way. M1 34 A1
Trumpet St. M1 34 B4
Turner St. M4 34 D1
Union St. M4 34 D1
Upton St. M1 34 E3
Venice St. M1 34 E4
Viaduct St. M3 34 A1
Victoria Bridge St. M3 34 C1
Victoria St. M3 34 C1
Warwick St. M4 34 E1
Watson St. M3 34 B4
West Mosley St. M1 34 D3
West St. M4 34 D1
Whitworth St. M1 34 D4
Whitworth St W. M1 34 B4
William St. M3 34 A1
Windmill St. M3 34 B3
Withy Gro. M4 34 D1
Wood St. M3 34 A2
Worsley St. M3 34 A1
Wyre St. M1 34 F4
York St. M2 34 D2
York St. M1 34 D2
Young St. M3 34 A3

MIDDLEWICH

Aldington Dri. CW10 35 C6
Alexandra Rd. CW10 35 C5
Allgreave Clo. CW10 35 B5
Angus Gro. CW10 35 C2
Ash Gro. CW10 35 C4
Ashfield St. CW10 35 C4
Ashmore Clo. CW10 35 B6
Ashton Clo. CW10 35 C6
Astle Clo. CW10 35 B5
Aston Way. CW10 35 D2
Ayrshire Clo. CW10 35 C2
Barrington Dri. CW10 35 B5
Beech St. CW10 35 B3
Beechfield Dri. CW10 35 A1
Beeston Clo. CW10 35 C6
Bembridge Clo. CW10 35 B3
Bembridge Dri. CW10 35 B3
Blackwell Clo. CW10 35 C6
Blakelow Clo. CW10 35 A4
Booth La. CW10 35 C3
Bosley Clo. CW10 35 B5
Bradley Clo. CW10 35 B3
Bramble Clo. CW10 35 D2
Brooklands. CW10 35 A2
Brooks La. CW10 35 C3
Broxton Av. CW10 35 C6
Brynlow Dri. CW10 35 A4
Buckfast Way. CW10 35 A2
Buckley Clo. CW10 35 A4
Bunbury Clo. CW10 35 C6
Butley Clo. CW10 35 B5
Byley La. CW10 35 D1
Byron Clo. CW10 35 C6
Canal Ter. CW10 35 C3
Cedar Clo. CW10 35 D6
Chadwick Ct. CW10 35 C5
Chadwick Rd. CW10 35 B5
Chartley Gro. CW10 35 C2
Chester Rd. CW10 35 A2
Chesterton Clo. CW10 35 D6
Chestnut Clo. CW10 35 A1
Chillingham Clo. CW10 35 C2
Civic Way. CW10 35 B3
Cledford Cres. CW10 35 D6
Cledford La. CW10 35 D5
Coppice Dri. CW10 35 D6
Coriander Clo. CW10 35 B1
Coronation Rd. CW10 35 C5
Cresanne Clo. CW10 35 C5
Cross La. CW10 35 C3
Croxton La. CW10 35 A1
Dale Ct. CW10 35 C5
Dalton Way. CW10 35 C2
Dane St. CW10 35 C2
Darlington St. CW10 35 B2
Davenham Way. CW10 35 C6
Dean St. CW10 35 B2
Denbigh Cres. CW10 35 B4
Devon Clo. CW10 35 C2
Dexter Way. CW10 35 C1
Dierdens Ter. CW10 35 B3
Diploma St. CW10 35 B1
Dunmore Clo. CW10 35 B5
Eardswick Rd. CW10 35 B6
East Rd. CW10 35 A3
Eaton Dri. CW10 35 B4
Elm Rd. CW10 35 C4
Fairacre Clo. CW10 35 D6
Falcon Clo. CW10 35 C6
Farley Clo. CW10 35 A4
Faulkner Dri. CW10 35 D5
Fernleigh Clo. CW10 35 D6
Finneys La. CW10 35 A2
Flea La. CW10 35 B4
Fossa Clo. CW10 35 B2
Fountains Clo. CW10 35 A2
Galloway Clo. CW10 35 C2
Garfit St. CW10 35 C2
George VI Av. CW10 35 C5
George VI Clo. CW10 35 C5
Glastonbury Dri. CW10 35 A2
Goodwood Rise. CW10 35 A2
Gorsley Clo. CW10 35 B6
Grange Lea. CW10 35 A2
Greendale Dri. CW10 35 A4
Guernsey Clo. CW10 35 C2
Hadrian Way. CW10 35 B2
Hankelow Clo. CW10 35 B5
Hannahs Wk. CW10 35 A3
Hayhurst Av. CW10 35 A4
Heaton Clo. CW10 35 B5
Henbury Clo. CW10 35 B5
Hereford Clo. CW10 35 C2
High Town. CW10 35 B3
Hilton Clo. CW10 35 A4
Holmes Chapel Rd. CW10 35 C2
Hubert Dri. CW10 35 B4
Hurdsfield Clo. CW10 35 B5
Hutchins Clo. CW10 35 D5

INDUSTRIAL & RETAIL:
Brooks La Ind Est. CW10 35 C3
King Street Trading Est. CW10 35 C1
Motorway Ind Est. CW10 35 D2

Jersey Way. CW10 35 C2
Kerridge Clo. CW10 35 A4
Kestrel Clo. CW10 35 C6
Kinderton St. CW10 35 C2
King Edward St. CW10 35 B3
King St. CW10 35 B1
Kings Cres. CW10 35 C2
Kingswood Cres. CW10 35 D6
Kitfield Av. CW10 35 B4
Ladies Walk. CW10 35 B4
Lamborne Gro. CW10 35 B2
Laurel Clo. CW10 35 A2
Lawrence Av East. CW10 35 B2
Lawrence Av W. CW10 35 B2
Laxton Way. CW10 35 B2
Leadsmithy St. CW10 35 B3
Lewin St. CW10 35 C3
Lichfield St. CW10 35 C2
Lime Clo. CW10 35 A1
Lindisfarne Clo. CW10 35 A2
Lister Clo. CW10 35 C6
Livingstone Way. CW10 35 C6
Lodge La. CW10 35 D2
Long La. CW10 35 B5
Long La South. CW10 35 B5
Long Moss Clo. CW10 35 A4
Longhorn Clo. CW10 35 C1
Longwood Clo. CW10 35 B4
Lower St. CW10 35 B2
Maidenhills. CW10 35 C3
Malmesbury Clo. CW10 35 A3
Manor Cres. CW10 35 B5
Manor Fields. CW10 35 B4
Manor La. CW10 35 B3
Mather Clo. CW10 35 A1
Meadow Vw. CW10 35 A1
Middlewich By-Pass. CW10 35 B1
Mill La (Kinderton St). CW10 35 C2
Mill La (Nantwich Rd). CW10 35 A3
Milton Clo. CW10 35 C6
Moss Dri. CW10 35 C5
Mottram Clo. CW10 35 B5
Nantwich Rd. CW10 35 A4
New King St. CW10 35 B3
Newton Bank. CW10 35 A2
Newton Hall Mws. CW10 35 B3
Newton Heath. CW10 35 B2
Nightingale Clo. CW10 35 C6
Norbury Dri. CW10 35 A4
Northwood Av. CW10 35 D6
Oak Dri. CW10 35 C5
*Oddfellows Passage, Pinfold La. CW10 35 A2
Old Gate Clo. CW10 35 A4
Orchard Clo. CW10 35 C4
Osprey Clo. CW10 35 A4
Overton Clo. CW10 35 A4
Paddock Vw. CW10 35 A2
Park Rd. CW10 35 B3
Pepper St. CW10 35 B2
Pinfold La. CW10 35 A2
Pippin Clo. CW10 35 B5
Pochin Way. CW10 35 D2
Poplar Dri. CW10 35 C5
Princess Cres. CW10 35 C5
Prosperity Way. CW10 35 A4
Queen St. CW10 35 B3
Queens Dri. CW10 35 C4
Rainow Clo. CW10 35 B5
Redshaw Clo. CW10 35 C5
Road Beta. CW10 35 C4
Rolt Cres. CW10 35 B4
Rowan Clo. CW10 35 D6
Roylance St. CW10 35 B3
Rushton Dri. CW10 35 B5
Russet Clo. CW10 35 B2
Rutland Clo. CW10 35 B2
Ryecroft Clo. CW10 35 A4
St Anns Rd. CW10 35 B3
St Annes Av. CW10 35 C4
St Michaels Way. CW10 35 B2
Sandown Clo. CW10 35 B3
School Wk. CW10 35 B3
Sea Bank. CW10 35 C3
Seddon St. CW10 35 B2

Shelley Clo. CW10 35 D6
Shilton Clo. CW10 35 D6
Shorthorn Clo. CW10 35 C1
Shropshire Clo. CW10 35 B3
Simonswood Clo. CW10 35 A4
Smallwood Clo. CW10 35 B4
Southway. CW10 35 B3
Stallard Way. CW10 35 B3
Steele Rd. CW10 35 C6
Sutton La. CW10 35 B5
Swanscoe Clo. CW10 35 A4
Sycamore Dri. CW10 35 C6
Tarvin Clo. CW10 35 C6
Tefler Ct. CW10 35 D6
Telford Way. CW10 35 D2
Tewkesbury Clo. CW10 35 A3
The Crescent. CW10 35 A2
The Green. CW10 35 C6
The Moorings. CW10 35 B2
The Weavers. CW10 35 B2
The Windings. CW10 35 A1
Tytherington Clo. CW10 35 B5
Venables Way. CW10 35 D6
Ventnor Clo. CW10 35 B3
Walker Dri. CW10 35 B4
Wardle Mws. CW10 35 C4
Warmingham La. CW10 35 C5
Warren Clo. CW10 35 A4
Waterside Way. CW10 35 A1
Wavertree Dri. CW10 35 B4
Webbs La. CW10 35 B2
Welbeck Clo. CW10 35 A3
West Av. CW10 35 B2
West St. CW10 35 B3
Westbury Clo. CW10 35 B4
Westlands Rd. CW10 35 A3
Westminster Clo. CW10 35 A2
Weston Clo. CW10 35 B4
Wheelock Clo. CW10 35 B2
Whirley Clo. CW10 35 B5
White Horse Alley. CW10 35 B3
White Pk Clo. CW10 35 C2
Whitegate Clo. CW10 35 B5
Whitemore Rd. CW10 35 B5
Whitley Clo. CW10 35 C6
Willow Ct. CW10 35 B2
Woodend Clo. CW10 35 C6
Woodstock Dri. CW10 35 D6
Worleston Clo. CW10 35 B2
Wych House La. CW10 35 C3
Yew Tree Clo. CW10 35 A2

NANTWICH

Abbey Fields. CW2 37 H1
Albert St. CW5 36 C2
Alvaston Rd. CW5 36 C3
Arnold St. CW5 36 C2
Ash Gro. CW5 36 C5
Ashlea Dri. CW5 37 H4
Audlem Rd. CW5 36 C5
Baddington La. CW5 36 B6
Balmoral Pl. CW5 37 G4
Bannacks Clo. CW5 37 G2
Barker St. CW5 36 B4
Baronia Pl. CW5 36 C2
Barony Bldgs. CW5 36 C2
Barony Ct. CW5 36 C1
Barony Rd. CW5 36 C2
Barony Ter, James Hall St. CW5 36 C2
Basset Clo. CW5 37 G3
Batherton La. CW5 36 D6
Bayley Rd. CW5 37 G3
Beam St. CW5 36 B3
Beatty Rd. CW5 36 A4
Beech Tree Dri. CW5 37 G3
Birchin Clo. CW5 36 D2
Birchin La. CW5 36 D2
Birchwood Dri. CW5 36 D6
Bishops Wood. CW5 36 D6
Blagg Av. CW5 36 A4
Bowden Dri. CW5 37 H4
*Bowling Green Clo, Wesley Clo. CW5 36 C3
*Bowling Green Mws, Rectory Clo. CW5 36 C3

Bowyer Av. CW5 36 C3
Brassey Rd. CW5 37 G3
Brereton Dri. CW5 36 D2
Brick Bank. CW5 36 D3
Bridle Hey. CW5 36 D6
Brine Rd. CW5 36 C5
Brook Way. CW5 36 B5
Brown Av. CW5 36 C5
Brunner Gro. CW5 37 E4
Buckingham Clo. CW2 37 H1
Burnell Clo. CW5 36 C5
Butler Way. CW5 36 C6
Caernarvon Clo. CW2 37 H1
Cartlake Clo. CW5 36 A4
Castle St. CW5 36 B3
Cedar Ct. CW5 37 G3
Cedar Gro. CW5 37 E3
*Chapel Mws,
   Market St. CW5 36 C3
Chapel Row. CW5 36 A3
Chater Dri. CW5 36 D5
Cheerbrook Rd. CW5 37 G4
Cherrington Rd. CW5 36 C6
Cherry Gro. CW5 36 A4
Cheyne Wk. CW5 36 C6
Church La. CW5 36 B3
Church La. CW2 37 H1
*Church Vw Wk,
   Church La. CW2 37 H1
Churchyard Side.
   CW5 36 B3
Circle Av. CW5 37 H4
Claytons Row. CW5 36 C2
Clonners Field. CW5 36 D5
Colleys La. CW5 37 E1
Comberbach Dri. CW5 37 E5
Coniston Clo. CW5 36 D2
Cope St. CW5 36 A5
Copes La. CW5 36 A4
Coppice Clo. CW5 37 G2
Coppice Rd. CW5 37 G2
Cowfields. CW5 36 C3
Crewe Rd. CW5 36 C3
Cromwell Ct. CW5 36 C3
Cronkinson Av. CW5 36 C4
Cronkinson Oak. CW5 36 C4
Cross Wood St. CW5 36 B3
Cumberland Av. CW5 36 D2
Daisy Bank. CW5 36 A4
Davenport Av. CW5 36 B2
Deadmans La. CW5 37 E6
Delamere Rd. CW5 36 C5
Derwent Clo. CW5 37 G3
Dog La. CW5 36 B3
Dorfold Dri. CW5 36 A4
Dutton Way. CW5 36 C5
Eastern Rd. CW5 37 H3
Edinburgh Rd. CW2 37 H1
Edmund Wright Way.
   CW5 36 A4
First Wood St. CW5 36 B3
Flowers Croft. CW5 36 D4
Gerard Dri. CW5 36 A4
Gingerbread La. CW5 37 E3
Gladstone St. CW5 37 H3
Glamis Clo. CW2 37 H1
Green La. CW5 37 H4
Greenbank Rd. CW5 37 G3
Grocotts Row. CW5 36 C4
Hall Dri. CW5 37 F3
Harding Rd. CW5 36 A4
Harvey Av. CW5 36 D3
Hawthorn Av. CW5 36 D3
Haymoor Green Rd.
   CW5 37 H6
Heathfield Clo. CW5 36 D2
Heathside. CW5 36 C3
Hellathwen. CW5 36 B6
High St. CW5 36 B3
Highfield Dri. CW5 36 D2
Hillfield Gdns. CW5 36 C4
Hillfield Pl. CW5 36 C4
Hillfield Vw. CW5 36 C4
Hinde St. CW5 36 A4
Hirsh Clo. CW5 37 E4
Hollybush Cres. CW5 37 G3
Holyrood Dri. CW5 37 H1
Hornby Dri. CW5 36 D3
Hospital St. CW5 36 B3
INDUSTRIAL & RETAIL:
Alvaston Business Pk.
   CW5 36 C1
The Barony Employment
   Pk. CW5 36 C1

Jackson Av. CW5 36 D4
James Hall St. CW5 36 C2
Jan Palach Av. CW5 36 C5
John Gresty Dri. CW5 37 G2
Jubilee Gdns. CW5 37 G4
Jubilee Ter. CW5 36 C5
Kensington Dri. CW5 37 G4
*King Pl,
   Beam St. CW5 36 C3
Kingfisher Clo. CW5 36 C1
Kings Ct. CW5 36 A3
Kings La. CW5 36 A3
Laburnum Av. CW5 36 C4
Lady Helen Wk. CW5 36 C3
Lakeside View. CW5 36 B6
Larkspur Clo. CW5 36 C1
Lea Dri. CW5 36 A4
Lewis Clo. CW5 37 E4
Lomax Rd. CW5 37 G3
London Rd. CW5 36 C4
Love La. CW5 36 B4
Mainwaring Clo. CW5 37 E5
Maisterson Ct. CW5 36 C3
Malbank. CW5 36 B3
Manor Rd. CW5 36 B2
Manor Rd North. CW5 36 B2
Mansion Ct. CW5 36 C4
Mark St. CW5 37 H2
Market St. CW5 36 C3
Marlowe Dri. CW5 36 C5
Marsh La. CW5 36 A5
Mary's Gate. CW2 37 H1
Mayflower Rd. CW5 36 B3
Meadowvale Clo. CW5 36 C1
Meeanee Dri. CW5 36 A4
Mercer Way. CW5 36 C1
Middlewich Rd. CW5 36 C2
Mill St. CW5 36 B3
Mill Way. CW5 36 D6
Millfields. CW5 36 A4
Millstone La. CW5 36 C3
Minster Ct. CW2 37 H1
Monks La. CW5 36 C3
Monks Orchard. CW5 37 H3
Moorfields. CW5 37 H3
Mount Clo. CW5 36 D3
Mount Dri. CW5 36 D3
Murrayfield Dri. CW5 37 G3
Newbold Way. CW5 36 B5
Newcastle Rd. CW5 37 E4
Nixons Row. CW5 36 A3
North Crofts. CW5 36 C3
*Nuthurst Gdns,
   Mansion Ct. CW5 36 C4
Oak Bank Clo. CW5 37 H4
Oak Gro. CW5 36 C6
Oat Mkt. CW5 36 B3
Orchard Cres. CW5 36 C6
Orchard St. CW5 37 H3
Pall Mall. CW5 36 C4
Park Rd,
   Nantwich. CW5 36 B5
Park Rd,
   Willaston. CW5 37 F3
Park Vw. CW5 36 C3
Parkfield Dri. CW5 36 C5
Pear Tree Field. CW5 37 E5
Penlington Ct. CW5 36 D3
Pepper St. CW5 36 B3
Pillory St. CW5 36 B4
Pine Wk. CW5 36 C5
Potter Clo. CW5 37 G4
Pratchitts Row. CW5 36 C4
Prince Edward St.
   CW5 36 B2
Princess Dri. CW5 36 D3
*Queen St,
   Pillory St. CW5 36 B4
Queens Dri. CW5 36 B4
Ray Av. CW5 36 C1
Rectory Clo. CW5 36 D4
Rectory Clo. CW2 37 H1
Red Lion La. CW5 36 D4
Regents Gate. CW5 36 D4
Rigsbys Row. CW5 36 C3
Riverbank Clo. CW5 36 C1
Riverside. CW5 36 B4
Rookery Clo. CW5 36 C4
Rookery Dri. CW5 36 C4
St Albans Dri. CW5 36 C5
St Annes La. CW5 36 B3
St Josephs Way. CW5 36 D4
St Lawrence Ct. CW5 36 C3
St Marys Rd. CW5 36 B2

Saltmeaows. CW5 36 A3
Sandford Rd. CW5 36 C2
Sandringham Dri.
   CW2 37 H1
Sandylands Pk. CW2 37 H1
Scaife Rd. CW5 36 C5
School La. CW5 36 C3
Second Wood St. CW5 36 B3
Shannon Clo. CW5 37 G3
Shrewbridge Cres.
   CW5 36 B4
Shrewbridge Rd. CW5 36 B4
South Crofts. CW5 36 C4
Spring Gdns. CW5 36 C4
Stapeley Ter. CW5 36 C6
Station Rd. CW5 36 C4
Station Vw. CW5 36 C4
Stonebridge Rd. CW5 36 B6
Strathaven Av. CW2 37 H1
Swine Mkt. CW5 36 B3
Sycamore Clo. CW5 36 D1
Tanners Way. CW5 36 B5
Telford Pl. CW5 36 A3
Tenchersfield. CW5 36 C4
The Beeches. CW5 36 C4
The Blankney. CW5 36 B4
The Broadway. CW5 36 D3
The Crescent. CW5 36 C3
The Fields. CW5 37 G4
The Gullet. CW5 36 C3
The Paddock. CW5 37 G4
The Pike. CW5 36 C6
The Spinney. CW5 37 G2
Tinkersfield. CW5 37 E5
Tricketts La. CW5 37 H3
Tricketts Mws. CW5 37 H3
Tudor Way. CW5 36 B6
Turner St. CW5 36 C3
Vauxhall Pl. CW5 36 C1
Vauxhall Rd. CW5 36 A4
Victoria Mill Dri. CW5 37 G3
Volunteer Av. CW5 36 C3
Volunteer Fields. CW5 36 C3
Wall Fields Clo. CW5 36 C2
Wall Fields Rd. CW5 36 B2
Wall La. CW5 36 B3
Water Lode. CW5 36 B3
Weaver Bank. CW5 36 B3
Weaver Rd. CW5 36 C2
Weaverside. CW5 36 C6
Wellington Rd. CW5 36 B3
Welsh Row. CW5 36 A3
Welshmens La. CW5 36 A2
Wesley Clo. CW5 36 C6
Western Av. CW5 36 C6
Whitehall Ct. CW5 36 B3
Whitehouse La. CW5 36 D1
Whitewell Clo. CW5 36 D3
Whitlow Av. CW5 36 C4
Wickstead Clo. CW5 37 E4
Willaston Hall Gdns.
   CW5 37 G3
Willow Ct. CW5 36 D2
Windsor Av. CW5 36 C5
Windsor Rd. CW2 37 H1
Wistaston Rd. CW5 37 H3
Woodland Av. CW5 36 B5
Worthington Clo. CW5 37 E4
Wybunbury La. CW5 37 E5
Wybunbury Rd. CW5 37 H4
Wyche Av. CW5 36 A3
Wyche Ho Bank. CW5 36 B3
Yew Tree Dri. CW5 36 A3

NESTON

Abbots Way. L64 38 C2
Albert Dri. L64 38 C3
Allans Clo. L64 38 D4
Allans Meadow. L64 38 D5
Arden Dri. L64 38 D5
Ashtree Clo. L64 39 E4
Ashtree Dri. L64 39 E4
Avon Clo. L64 38 D5
Badger Bait. L64 39 E5
Badgers Pk. L64 39 E5
Bank Clo. L64 39 E5
Bankhey. L64 39 E6
Barnacre Dri. L64 38 A1
Bathwood Dri. L64 38 D6
Beechways Dri. L64 38 C3
Bendee Av. L64 39 F4

Bendee Rd. L64 39 E4
Bevyl Rd. L64 38 A1
Blackeys La. L64 38 D3
Boathouse La. L64 38 A1
Boundary Pk. L64 38 C3
Bowring Dri. L64 38 B2
Breezehill Clo. L64 38 D3
Breezehill Pk. L64 39 E3
Breezehill Rd. L64 39 E3
Bridge Ct. L64 38 D4
Bridge St. L64 38 D4
Brook Hey. L64 38 A1
Brook La. L64 38 B2
Brook St. L64 38 D3
Brook Well. L64 38 D6
Brooklands Gdns. L64 38 B2
Brooklands Rd. L64 38 B2
Buggen La. L64 38 C3
Buildwas Rd. L64 38 D1
Bull Hill. L64 39 E5
Burton Rd. L64 38 D4
Bushell Clo. L64 39 E4
Bushell Rd. L64 39 E3
Carlton Clo. L64 38 B1
Cedar Gro. L64 39 E3
Cherry Clo. L64 39 H3
Chester High Rd. L64 39 E1
Chester Rd. L64 38 D3
Church La. L64 38 C3
Churchill Way. L64 38 C3
Cliffe Rd. L64 38 D4
Coalbrookdale Rd. L64 39 E1
Coastguard La. L64 38 A2
Colliery Green Clo.
   L64 38 D6
Colliery Green Ct. L64 38 D6
Colliery Green Dri.
   L64 38 D6
Coniston Rd. L64 38 D5
Cottage Clo. L64 38 D6
Croften Dri. L64 38 D6
Cross La. L64 39 G4
Cross St. L64 38 D3
Cuckoo La. L64 39 G4
Cumbers Dri. L64 39 E6
Cumbers La. L64 39 F6
Darby Clo. L64 38 D6
Dawn Clo. L64 39 E6
Dee Vw Ct. L64 38 D5
Derwent Way. L64 39 E4
Drake Rd. L64 39 E2
Dunraven Rd. L64 39 E4
Earle Cres. L64 38 C2
Earle Dri. L64 38 B3
Eldon Ter. L64 38 D4
Emslie Ct. L64 38 B3
Fairholme Av. L64 38 C2
Flag La. L64 39 E4
Flashes La. L64 39 F6
Flint Clo. L64 38 C4
Flint Dri. L64 38 C4
Flint Meadow. L64 38 C4
Foxglove Way. L64 38 C6
Frobisher Rd. L64 38 D3
Furrocks Clo. L64 39 E6
Furrocks La. L64 39 E6
Furrocks Way. L64 39 E6
Girvan Rd. L64 38 D5
Gladstone Rd. L64 38 D4
Glenton Pk. L64 39 E5
Gorstons La. L64 39 F5
Grampian Way. L64 38 D6
Grasmere Rd. L64 38 D5
Greenfields Clo. L64 38 D6
Greenfields Croft. L64 38 D6
Greenfields Dri. L64 38 D6
Greengates Cres. L64 38 D6
Grenfell Clo. L64 38 B2
Grenfell Pk. L64 38 B2
Grenville Rd. L64 38 D3
Gunn Gro. L64 39 E3
Hamilton Clo. L64 38 A1
Hampton Clo. L64 38 D5
Hampton Cres. L64 38 D5
Hanns Hall Rd. L64 39 H3
Hawkins Rd. L64 38 D2
Hawthorn Rd. L64 38 A1
Henley Clo. L64 38 D5
Henley Rd. L64 38 D5
Heron Ct. L64 38 B3
High St. L64 38 D3
Highfield Clo. L64 38 D3
Highfield Rd. L64 38 D3
Hill Clo. L64 39 F6

Hill Ct. L64 39 F6
Hill Top La. L64 39 F6
Hinderton La. L64 39 F2
Hinderton Rd. L64 39 E3
Holmcrofts. L64 38 D6
Holt Hey. L64 39 E6
Holywell Clo. L64 38 C6
Howards Way. L64 39 E2
Hunters Way. L64 38 B3
INDUSTRIAL & RETAIL:
Clayhill Ind Pk. L64 38 D1
Ivyfarm Dri. L64 39 E5
Jonson Rd. L64 38 D2
Kenilworth Rd. L64 38 C2
Laburnum Farm Clo.
   L64 39 F6
Ladies Wk. L64 38 D3
Landseer Av. L64 39 E4
Leamington Clo. L64 38 D5
Leighton Chase. L64 38 C3
Leighton Ct. L64 38 C3
Leighton Pk. L64 38 C3
Leighton Rd. L64 38 C1
Little La. L64 38 B4
Liverpool Rd. L64 38 D2
Long Acres Rd. L64 38 D1
Manor Clo. L64 38 B4
Manorial Rd Sth. L64 38 G3
Marehall La. L64 39 G3
Marlowe Rd. L64 38 D3
Marshlands Rd. L64 38 C6
Mayfield Gdns. L64 38 D2
Meadow Clo. L64 38 C5
Mealors Weint. L64 38 A2
Mellock Clo. L64 39 E4
Mellock La. L64 39 E4
Merton Clo. L64 38 D5
Mill Bank. L64 39 F6
Mill La. L64 39 F6
Mill St. L64 38 C3
Moorfield Dri. L64 38 B1
Moorings Clo. L64 38 A1
Moorside Av. L64 38 B3
Moorside La. L64 38 B4
Morland Av. L64 39 E4
Mostyn Gdns. L64 38 A2
Neston Rd. L64 39 E6
New St. L64 38 D6
Newtown. L64 39 E4
North Par. L64 38 A1
Old Quay Clo. L64 38 C4
Old Quay La. L64 38 C4
Old School Clo. L64 39 E5
Olive Dri. L64 38 D3
Olive Rd. L64 38 D4
Orchard Dri. L64 38 D6
Paddock Dri. L64 38 C1
Palace Hey. L64 39 F6
Park St. L64 38 C3
Parkgate Rd. L64 38 B3
Peerswood Ct. L64 38 D6
Pinehey. L64 38 C1
Poplar Weint. L64 39 F2
Quarry Rd. L64 38 C6
Quayside. L64 38 C6
Raby Gdns. L64 38 D3
Raby Pk Clo. L64 38 D3
Raby Pk Rd. L64 38 D3
Raby Rd. L64 38 D3
Raeburn Av. L64 39 E4
Raleigh Rd. L64 38 D2
Raymond Way. L64 39 F4
Ringway. L64 38 D1
Riverside Wk. L64 38 C6
Riverview Rd. L64 39 F5
Rockfarm Dri. L64 39 F5
Rockfarm Grn. L64 39 F5
Rockfarm Gro. L64 39 F5
Rocklee Gdns. L64 39 F5
Roman Ct. L64 39 E4
Romney Clo. L64 38 D4
Romney Croft. L64 38 D4
Romney Way. L64 38 D4
Rose Gdns. L64 39 E4
Rydal Clo. L64 39 E4
*Sandheys,
   Holywell Clo. L64 38 B2
Sandon Cres. L64 38 C6
Sandy La. L64 39 F4
Scholars Ct,
   Cross St. L64 38 D3
School Av. L64 39 E5
School Clo. L64 39 E5

NORTHWICH

Valley Vw. CW9 41 G3
Vearows Pl. CW9 40 D3
Venables Rd. CW9 41 E1
Verdin Av. CW8 40 D1
Verdin St. CW9 41 G2
Vicarage Rd. CW9 41 E2
Vicarage Wk. CW9 41 F2
Vickers Way. CW9 41 E3
Victoria Pk. CW8 40 D1
Victoria Rd. CW9 41 F2
Wade St. CW9 41 F1
Wallace St. CW8 40 C3
Water St. CW9 40 D2
Waterbank Row. CW9 40 D2
Waterloo Rd. CW8 40 C2
Watling St. CW9 40 D2
Weaver Ct. CW9 40 D2
Weaver Rd. CW8 40 D2
Weaver Way. CW9 40 D2
Weaverton Clo. CW9 40 C6
Weir St. CW9 40 D3
Wellington St. CW8 40 D3
Wentworth Clo. CW9 41 H3
Wesley Pl. CW9 41 E1
Wessex Dri. CW9 41 G4
West Av. CW9 41 H4
Westfield Rd. CW9 41 E3
Whalley Rd. CW9 41 E2
Whitehall Dri. CW8 40 A5
William St. CW9 41 F2
Wilton Clo. CW9 40 C5
Winnington Av. CW8 40 A3
Winnington La. CW8 40 B1
Winnington St. CW8 40 D1
Withington Clo. CW9 41 E4
Witton St. CW9 41 E1
Witton Wk. CW9 40 D1
Woburn Clo. CW8 40 C5
Woodham Clo. CW8 40 B5
Woodlands Rd. CW8 40 A5
Woodlea Ct. CW8 40 B3
Woodpecker Dri. CW9 40 D6
Woodside Ter. CW9 41 F6
Worthing St. CW9 41 F2
Wright Av. CW9 41 G4
Wyndham Clo. CW9 40 D5
Yarnwood Clo. CW8 40 D3
Zion St. CW8 40 C3

POYNTON

Abbotsbury Clo. SK12 42 C1
Adams Clo. SK12 42 D4
Adlington Clo. SK12 42 F4
Adlington Pk. SK12 42 B4
Alder Av. SK12 42 F3
Alderley Clo. SK12 42 F4
Anglesey Dri. SK12 42 E1
Arlington Dri. SK12 42 C3
Ash Rd. SK12 42 E3
Bagstock Av. SK12 42 D4
Balmoral Dri. SK12 42 C2
Barclay Rd. SK12 42 E4
Bardell Cres. SK12 42 D4
Barnaby Rd. SK12 42 D4
Beech Cres. SK12 42 E2
Birch Rd. SK12 42 F3
Bittern Clo. SK12 42 A2
Blenheim Clo. SK12 42 F2
Bolton Clo. SK12 42 C2
Bosley Dri. SK12 42 F3
Brecon Clo. SK12 42 E2
Brent Clo. SK12 42 A2
Brookfield Av. SK12 42 C2
Brookside Av. SK12 42 E3
Brownlow Clo. SK12 42 E4
Buckfast Clo. SK12 42 D1
Buckingham Rd. SK12 42 C2
Bulkeley Rd. SK12 42 D3
Burton Clo. SK12 42 D2
Bylands Clo. SK12 42 D2
Calder Clo. SK12 42 D4
Capenhurst Clo. SK12 42 E2
Cedar Clo. SK12 42 E3
Charlecote Rd. SK12 42 E2
Cherry Tree Av. SK12 42 E3
Chester Rd. SK12 42 A2
Chestnut Dri. SK12 42 E2
Clifford Rd. SK12 42 C2
Clumber Clo. SK12 42 D3
Clumber Rd. SK12 42 D3

Collingwood Clo. SK12 42 F3
Copperfield Rd. SK12 42 D4
Coppice Rd. SK12 42 F3
Covell Rd. SK12 42 D1
Curzon Rd. SK12 42 D4
Dale House Fold. SK12 42 F2
Deva Clo. SK12 42 B2
Dickens La. SK12 42 D3
Distaff Rd. SK12 42 A2
Dombey Rd. SK12 42 D4
Dorrit Clo. SK12 42 D4
Dundrennan Clo. SK12 42 C1
Dunlin Clo. SK12 42 A2
Easby Clo. SK12 42 C1
Eaton Clo. SK12 42 F3
Elm Clo. SK12 42 F3
Fielding Av. SK12 42 E3
Fir Clo. SK12 42 E3
First Av. SK12 42 C4
Fountains Clo. SK12 42 D2
Fulmar Clo. SK12 42 A2
Furness Clo. SK12 42 C2
Gawsworth Clo. SK12 42 F4
Georges Clo. SK12 42 D3
Georges Rd E. SK12 42 D2
Georges Rd W. SK12 42 D2
Glastonbury Dri. SK12 42 C1
Glenfield Dri. SK12 42 C3
Gloucester Rd. SK12 42 C2
Graymarsh Dri. SK12 42 D4
Grebe Clo. SK12 42 A2
Grosvenor Dri. SK12 42 C3
Gull Clo. SK12 42 A3
Hale Av. SK12 42 D4
Hardwicke Rd. SK12 42 F2
Hartland Clo. SK12 42 D1
Haseley Clo. SK12 42 D1
Hazel Dri. SK12 42 E3
Hazelbadge Clo. SK12 42 C2
Hazelbadge Rd. SK12 42 C2
Hepley Rd. SK12 42 F3
Heron Dri. SK12 42 A3
Highfield Clo. SK12 42 A2
Hilton Gro. SK12 42 C2
Hockley Clo. SK12 42 F3
Hockley Rd. SK12 42 F3
Holker Clo. SK12 42 F2
Holly Rd. SK12 42 E3
Hope Grn Way. SK12 42 C4

INDUSTRIAL & RETAIL:
Adlington Ind Est. SK12 42 B4
Ivy Rd. SK12 42 E3
Kettleshulme Way. SK12 42 C2
Kirkstall Clo. SK12 42 C2
Knole Av. SK12 42 E2
Ladys Clo. SK12 42 E2
Ladys Incline. SK12 42 E2
Lakeside Dri. SK12 42 E1
Lambourn Clo. SK12 42 C2
Larch Clo. SK12 42 F3
Lawrence Pl. SK12 42 C4
Legh Clo. SK12 42 D2
Lindisfarne Dri. SK12 42 C1
London Rd Nth. SK12 42 D2
London Rd Sth. SK12 42 C4
Long Row. SK12 42 E3
Lostock Av. SK12 42 B2
Lostock Hall Rd. SK12 42 B2
Lostock Clo. SK12 42 C4
Lower Pk Rd. SK12 42 B1
Mallard Cres. SK12 42 A2
Malmesbury Clo. SK12 42 D2
Maple Av. SK12 42 E3
Marley Rd. SK12 42 D3
Mayfair Clo. SK12 42 D1
Meadway. SK12 42 A1
Merton Rd. SK12 42 A2
Micawber Rd. SK12 42 D4
Middlewood Rd. SK12 42 F3
Millstone Clo. SK12 42 F1
Milton Dri. SK12 42 D3
Moreton Dri. SK12 42 E2
Narrow La. SK12 42 F4
Neath Clo. SK12 42 C1
Nelson Av. SK12 42 F3
Nelson Clo. SK12 42 F3
Newstead Clo. SK12 42 C1
Nickleby Rd. SK12 42 D3

Nursery Dri. SK12 42 D2
Oak Gro. SK12 42 C2
Oakfield Rd. SK12 42 E2
Orchard Clo. SK12 42 E3
Park Av. SK12 42 D2
Park La. SK12 42 D2
Parklands Way. SK12 42 A2
Petrel Av. SK12 42 A2
Pickwick Rd. SK12 42 D3
Pine Rd. SK12 42 F3
Pochard Dri. SK12 42 A2
Princes Incline. SK12 42 E2
Puffin Av. SK12 42 A2
Queensway. SK12 42 C3
Ragley Clo. SK12 42 E2
Rainow Dri. SK12 42 F3
Sandringham Dri. SK12 42 C3
School Clo. SK12 42 E2
School La. SK12 42 E2
Second Av. SK12 42 D4
Selby Clo. SK12 42 C1
Siddington Rd. SK12 42 D4
Snipe Clo. SK12 42 A2
South Mead. SK12 42 A1
South Pk Dri. SK12 42 D1
Spenlow Clo. SK12 42 E4
Spinners La. SK12 42 B2
Spring Rd. SK12 42 E4
Styperson Way. SK12 42 D3
Sulgrave Av. SK12 42 F2
Sutton Rd. SK12 42 F4
Swan Clo. SK12 42 A2
Tapley Av. SK12 42 D4
Teal Av. SK12 42 A2
Tern Dri. SK12 42 A2
Tewkesbury Clo. SK12 42 C1
Third Av. SK12 42 D4
Tintern Clo. SK12 42 D1
Tower Gdns. SK12 42 E1
Tower Clo. SK12 42 E1
Towers Rd. SK12 42 F1
Trafalgar Av. SK12 42 F3
Trafalgar St. SK12 42 F3
Tulworth Rd. SK12 42 D2
Varden Rd. SK12 42 D3
Vernon Clo. SK12 42 D4
Vernon Rd. SK12 42 D4
Vicarage La. SK12 42 D1
Warford Av. SK12 42 F4
Warren Clo. SK12 42 A2
Warren Lea. SK12 42 E1
Waterloo Rd. SK12 42 F4
Waters Reach. SK12 42 E1
Wayside Dri. SK12 42 C2
Weller Av. SK12 42 D4
Weller Clo. SK12 42 D4
West Pk Av. SK12 42 A2
Whitby Clo. SK12 42 C1
Widgeon Clo. SK12 42 A2
Wigwam Clo. SK12 42 C2
Willow Clo. SK12 42 E3
Wincle Av. SK12 42 F4
Windsor Clo. SK12 42 C2
Woburn Ct. SK12 42 F2
Woodford Rd. SK12 42 A2
Woodside La. SK12 42 D2
Woolley Av. SK12 42 C4
Yew Tree La. SK12 42 E3

PRESTBURY

Alders Way. SK10 43 A2
Ardenbrook Rise. SK10 43 A3
Ash Tree Clo. SK10 43 D1
Ashbrook Dri. SK10 43 B3
Badger Rd. SK10 43 C1
Birchway. SK10 43 A3
Bollin Gro. SK10 43 B1
Bollin Mws. SK10 43 B2
Bollin Way. SK10 43 B2
Bridge End Dri. SK10 43 C2
Bridge End La. SK10 43 C2
Bridge Grn. SK10 43 B2
Broadwalk. SK10 43 B3
Brocklehurst Dri. SK10 43 C1
Butley Lanes. SK10 43 C1
Castle Hill. SK10 43 B1
Castle Hill Clo. SK10 43 B2
Castle Rise. SK10 43 B2
Castleford Dri. SK10 43 A3

Castlegate. SK10 43 A2
Castlegate Mws. SK10 43 B2
Chelford Rd. SK10 43 A3
Coach Way. SK10 43 B1
Collar House Dri. SK10 43 A3
Elm Rise. SK10 43 A2
Hawthorn Rise. SK10 43 A2
Heybridge La. SK10 43 C1
Legh Rd. SK10 43 C1
Little Meadow Clo. SK10 43 D2
London Rd. SK10 43 B1
Macclesfield Rd. SK10 43 B3
Magnolia Rise. SK10 43 A2
Meadow Dri. SK10 43 D2
Nether Fold. SK10 43 B1
New Rd. SK10 43 C2
Oakwood Dri. SK10 43 D2
Orme Clo. SK10 43 B1
Packsaddle Pk. SK10 43 A3
Paddock Brow. SK10 43 C3
Park Ho Lane. SK10 43 C1
Pearl St. SK10 43 C2
Peters Clo. SK10 43 C1
Pinehurst. SK10 43 A2
Prestbury La. SK10 43 C1
Rowanside. SK10 43 A3
Saddleback. SK10 43 B2
Scott Rd. SK10 43 C2
Shirleys Dri. SK10 43 C3
Shirleys Dri. SK10 43 C3
Spencer Brook. SK10 43 B2
Spring Fields. SK10 43 C2
The Fold. SK10 43 B1
The Village. SK10 43 B2
Well La. SK10 43 D1
Willow Way. SK10 43 C3
Yew Tree Clo. SK10 43 D2
Yew Tree Way. SK10 43 D2

RUNCORN

Abbots Clo. WA7 45 E4
Acacia Gro. WA7 45 F3
Adderley Clo. WA7 45 F3
Adela Rd. WA7 44 C2
Albany Ter. WA7 44 D2
*Albert St,
  Greenway Rd. WA7 44 D2
Alcock St. WA7 44 D1
Alexander Gro. WA7 44 C1
Algernon St. WA7 44 C1
Allen Rd. WA7 44 B4
Almond Av. WA7 45 F4
Ann St. WA7 45 E1
Arthur St. WA7 44 D2
Ascot Av. WA7 45 E5
Ash Gro. WA7 45 F4
Ashbourne Av. WA7 45 E5
Ashley Rd. WA7 45 G2
Ashridge St. WA7 44 C1
Ashton Clo. WA7 44 C5
Astmoor Rd. WA7 45 F1
Baker Rd. WA7 44 A4
Balfour St. WA7 44 D2
Bamford Clo. WA7 45 F5
Bankes Clo. WA7 44 C6
Bankes La. WA7 44 B5
Barrymore Rd. WA7 45 G6
Baycliffe Clo. WA7 45 G6
Beacon Hill Vw. WA7 44 A4
Beaconsfield Rd. WA7 44 C3
Beaufort Clo. WA7 45 F3
Beech Rd. WA7 45 F3
Beechwood Av. WA7 45 F6
Bellingham Dri. WA7 44 D4
Bentinck St. WA7 44 C1
Betchworth Cres. WA7 45 G6
Bickley Clo. WA7 45 F3
Birch Rd. WA7 45 F3
Birstall Ct. WA7 45 G5
Bold St. WA7 45 E1
Boston Av. WA7 45 E3
Bowland St. WA7 44 D2
Brackendale. WA7 45 G3
Bracknell St. WA7 44 C1
Braithwaite Clo. WA7 45 G6
Bray Clo. WA7 45 F3
Bridge St. WA7 45 E1
Bridgewater St. WA7 44 D1
Brindley St. WA7 44 C1

*Brook St,
  Busway. WA7 44 D1
Brookfield Av. WA7 45 G1
Budworth Clo. WA7 45 G5
Bunbury Dri. WA7 45 F5
Burland Clo. WA7 44 C2
Busway. WA7 45 E1
Busway. WA7 45 E6
Buttermere Gro. WA7 45 G6
Byron St. WA7 44 D2
Caesars Clo. WA7 45 H2
Caithness Ct. WA7 45 E1
Cambridge St. WA7 45 F1
Cameron Av. WA7 44 B4
Campbell Av. WA7 44 D4
Camrose Clo. WA7 45 F5
Canal St. WA7 45 E1
Canalside. WA7 44 A4
*Canon St,
  Waterloo Rd. WA7 44 D1
Cantley Clo. WA7 45 G5
Carlton Av. WA7 45 G2
Cartmel Clo. WA7 45 E6
Cartwright St. WA7 45 G2
Castle Rise. WA7 45 G2
Castlefields Av. WA7 45 H2
Castner Av. WA7 44 B4
Cavendish Farm Rd. WA7 44 D6
Cavendish St. WA7 44 D2
Cawdor St. WA7 44 C1
Cawley St. WA7 44 D3
Cedar Av. WA7 45 F4
Central Expressway. WA7 45 H3
Centurion Row. WA7 45 H2
Chadwick Rd. WA7 45 H1
Chapel Pl. WA7 45 F1
Chapel St. WA7 44 D1
*Chaucer St,
  Byron St. WA7 44 D2
Cheltenham Cres. WA7 45 E6
Cherry Tree Av. WA7 45 F3
Cheshyres La. WA7 44 B5
Church St. WA7 44 D1
Claremont Rd. WA7 45 E2
Clarence St. WA7 44 D1
*Clarence Ter,
  Mersey Rd. WA7 44 D1
Clarks Ter. WA7 44 D1
Claverton Gro. WA7 45 E5
Clayton Cres. WA7 44 C2
Clifton Rd. WA7 45 E4
Colliers Row. WA7 44 C4
Companys Clo. WA7 44 C6
Coniston Clo. WA7 45 G6
Coombe Dri. WA7 44 D4
Cooper St. WA7 44 D1
Cormorant Dri. WA7 44 A4
Cornwall Av. WA7 44 D2
Coronation Rd. WA7 44 C3
Cote Lea Ct. WA7 45 H5
Cotterill. WA7 45 G3
Cotton La. WA7 45 G4
Cranage Clo. WA7 45 G5
Crawford Pl. WA7 45 E5
Cresta Dri. WA7 44 C6
Croasdale Dri. WA7 45 H6
Crofton Rd. WA7 44 B3
Cross St. WA7 44 D1
Cullen Rd. WA7 44 B4
Cunningham Rd. WA7 44 B3
Curzon St. WA7 44 D2
Cynthia Rd. WA7 44 C2
Cypress Gro. WA7 45 F5
Dale St. WA7 44 D2
Dalton Ct. WA7 45 H1
Dalton St. WA7 45 G1
Danby Clo. WA7 45 G6
Daresbury Expressway. WA7 45 E2
Davy Rd. WA7 45 H1
Deer Pk Ct. WA7 45 H5
*Devonshire Pl,
  High St. WA7 44 D1
Dewar Ct. WA7 45 E1
Dover St. WA7 45 E1
Downs Rd. WA7 44 C3
Drayton Clo. WA7 44 C2
Dudley Av. WA7 45 G1
Duke Clo. WA7 45 E1
Duncan Av. WA7 45 F2
Eagles Way. WA7 45 E1

Earls Way. WA7 45 H5
Eaton St. WA7 44 D2
Eccleston Dri. WA7 45 F3
Edison Rd. WA7 45 G1
Egerton St. WA7 44 D1
Ellesmere St. WA7 45 E1
Elm Rd. WA7 45 F3
Eskdale Clo. WA7 45 G6
Fairfax Dri. WA7 45 G1
Falcons Way. WA7 45 H5
Fallowfield. WA7 45 G3
Fenwick La. WA7 45 G5
Fernhurst. WA7 45 G3
Festival Way. WA7 45 F3
Fieldhouse Row. WA7 45 G4
Fifth Av. WA7 45 H4
Fisher St. WA7 45 E1
*Flavian Ct,
  Halton Brow. WA7 45 H2
Folly La. WA7 44 B3
Fourth Av. WA7 45 H4
Fox St. WA7 44 D2
Fredric Pl. WA7 45 E1
Gas St. WA7 45 E1
Gaunts Way. WA7 45 H6
Glenville Clo. WA7 45 E6
Gosforth Ct. WA7 45 H5
Grange Pk. WA7 45 F2
Grange Pk Av. WA7 45 F2
Grange Rd. WA7 45 F2
Grangemoor. WA7 45 G4
Grangeway. WA7 45 F4
Grangeway Ct. WA7 45 F4
Granville St. WA7 44 D1
Grasmere Dri. WA7 45 G6
Greek St. WA7 44 D1
Greenway Rd. WA7 44 D2
Grisedale Clo. WA7 45 H6
Grosvenor Clo. WA7 45 E1
Grove St. WA7 44 D1
Hale Vw. WA7 44 B3
Hallwood Clo. WA7 45 F5
Hallwood Link Rd.
  WA7 45 H6
Hallwood Pk. WA7 45 H6
Hallwood Pk Av. WA7 45 H6
Halton Brook Av.
  WA7 45 G3
Halton Brow. WA7 45 H2
Halton Ct. WA7 45 G2
Halton Link Rd. WA7 45 H4
Halton Lodge Av.
  WA7 45 G4
Halton Rd. WA7 45 F1
Handforth La. WA7 45 G5
*Handley St,
  Grove St. WA7 44 D1
Hankey St. WA7 44 C1
Hardwick Rd. WA7 45 G1
Harrop Rd. WA7 45 E2
Harrow Dri. WA7 45 H2
Hartley St. WA7 45 E1
Hawks Ct. WA7 45 H6
Hawthorne Av. WA7 44 D2
Hazel Av. WA7 44 B4
Heath Dri. WA7 44 D4
Heath Rd. WA7 45 E4
Heath Rd Cres. WA7 45 E3
Heath Rd South. WA7 44 D5
Henbury Pl. WA7 45 E5
Henley Ct. WA7 45 G1
High St. WA7 44 D1
Highlands Rd. WA7 44 C3
Hill St. WA7 44 D2
Hillside Av. WA7 44 B3
Hinton Rd. WA7 44 D3
Hobby St. WA7 45 H5
Holloway. WA7 44 C2
Holly Bank Rd. WA7 45 H3
Holmfield Av. WA7 45 F2
Howarth Ct. WA7 45 E1
Hunters Ct. WA7 45 H5
Hyde Clo. WA7 45 G5
INDUSTRIAL & RETAIL:
Trident Pk. WA7 45 H4
Ingleton Gro. WA7 45 G6
Irwell La. WA7 45 E1
Ivy St. WA7 44 D2
Ivychurch Mws. WA7 45 G2
Jensen Ct. WA7 45 F1
Johns Av. WA7 44 D3
Kempton Clo. WA7 45 F6
Kendal Rise. WA7 45 G6
Kenilworth Av. WA7 45 E4

Kent Gro. WA7 45 F2
Kestrels Vw. WA7 45 H5
Kestrels Way. WA7 45 H5
King James Ct. WA7 45 H6
King St. WA7 44 D1
Kingsley Cres. WA7 44 D3
Kingsley Rd. WA7 44 D2
Kingston Clo. WA7 45 G1
Laburnum Gro. WA7 45 E4
Lambsickle Clo. WA7 44 D6
Lambsickle La. WA7 44 D6
Lancaster Av. WA7 44 B4
Lancer Ct. WA7 44 H1
Langdale Rd. WA7 45 F5
Larch Clo. WA7 45 F5
Larch Rd. WA7 45 F5
Latham Av. WA7 45 F2
Latham Fields. WA7 45 F3
Lavender Clo. WA7 45 F3
Leaside. WA7 45 G3
Leinster Gdns. WA7 44 C1
Leinster St. WA7 44 C1
Leonard St. WA7 44 B5
Leyton Clo. WA7 45 E6
Lightburn St. WA7 44 D2
Lilac Cres. WA7 45 F3
Lime Gro. WA7 45 F3
Lincoln Clo. WA7 45 F6
Lingfield Rd. WA7 44 B3
Linkway. WA7 45 G3
Lister Rd. WA7 45 F1
Littlegate. WA7 45 G3
Loch St. WA7 44 D1
Lodge La. WA7 45 H3
Lord St. WA7 44 D1
Lowlands Rd. WA7 44 D1
Ludlow Cres. WA7 45 E4
Lycroft Clo. WA7 45 E5
Lydiate La. WA7 44 B5
Lyndon Gro. WA7 45 E3
Lynn Clo. WA7 45 F5
Malcolm St. WA7 45 E2
Malpas Rd. WA7 45 E5
Manor Rd. WA7 45 G2
Maple Av. WA7 45 F3
Marina Gro. WA7 45 E2
Marion Dri. WA7 44 D5
Marlston Pl. WA7 45 E6
Maryhill Rd. WA7 44 D4
Mason St. WA7 45 F1
Mather Av. WA7 44 B4
Mavergal St. WA7 44 D2
Meadway. WA7 45 H3
Melford Dri. WA7 45 F3
Melton Rd. WA7 45 F5
Merevale Clo. WA7 45 G6
Mersey Rd. WA7 44 D1
Mersey Vw. WA7 44 A4
Millersdale Gro. WA7 45 G6
Minster Ct. WA7 44 C6
Montpelier Av. WA7 44 D5
Morley Rd. WA7 44 D3
Morval Cres. WA7 45 G3
Moughland La. WA7 44 D3
Needham Clo. WA7 45 G1
*New St,
  Shaw St. WA7 44 D2
Norfolk St. WA7 45 E1
Norleane Cres. WA7 45 E4
Norman Rd. WA7 44 D2
Northwood Rd. WA7 45 H2
Oak Dri. WA7 45 F4
Oakmere St. WA7 44 D2
Okell St. WA7 44 D2
Old Quay St. WA7 45 E1
Oxford Rd. WA7 44 D3
Park Ct. WA7 44 D4
Park Rd. WA7 44 D4
Parker St. WA7 45 E1
Parkers Ct. WA7 45 H5
Parrys La. WA7 44 D3
Pear Tree Av. WA7 45 F4
*Peel St,
  Egerton St. WA7 44 D1
Penfolds. WA7 45 G2
Penketh Ct. WA7 45 E1
Penketh Clo. WA7 45 E1
Penn La. WA7 44 C2
Penrhyn Cres. WA7 45 E4
Penshaw Ct. WA7 45 H5
Percival La. WA7 44 B3
Perrey St. WA7 45 E2
Perrin Av. WA7 44 B4
Pickerings Clo. WA7 45 F5

Picow Farm Rd. WA7 44 B3
Picow St. WA7 44 D2
Picton Av. WA7 45 E2
Pimlico Rd. WA7 44 B2
Pine Rd. WA7 45 F4
Plaistow Ct. WA7 45 H5
Pool La. WA7 45 E1
Poolside Rd. WA7 45 E2
Poplar Av. WA7 45 F4
Poplar Clo. WA7 45 F5
Porter St. WA7 45 F2
Portland St. WA7 44 C1
Post Office La. WA7 44 A4
Princess St. WA7 44 D1
*Public Hall St,
  Church St. WA7 44 D1
Pulford Clo. WA7 45 G6
*Putney Ct, Hallwood
  Park Av. WA7 45 H5
Quarry Clo. WA7 45 G2
Queens Clo. WA7 44 D3
Queens Ct. WA7 44 D2
Queensway. WA7 44 D1
Regent St. WA7 44 D1
Renton Av. WA7 45 G1
Richmond Av. WA7 45 H1
Riley Dri. WA7 44 D3
Ringway Rd. WA7 45 G1
Ripon Row. WA7 45 G5
Riversdale Rd. WA7 45 H3
Robert St. WA7 45 F1
Roberts Ct. WA7 45 G3
Roehampton Dri. WA7 45 H5
Rosemarsh Ct. WA7 45 H5
Roland Av. WA7 44 C2
Roman Clo. WA7 45 H2
Rosam Ct. WA7 45 H6
Roscoe Cres. WA7 44 B4
Rothbury Clo. WA7 45 G6
Rowan Clo. WA7 45 F4
Royden Av. WA7 44 D3
Runcorn Dock Rd.
  WA7 44 C2
Runcorn Expressway.
  WA7 44 B2
Runcorn Spur Rd.
  WA7 44 D1
Russell Rd. WA7 44 B3
Rutland St. WA7 44 C1
Rydal Gro. WA7 45 E3
St Johns St. WA7 45 E1
Salisbury St. WA7 44 D2
Sandown Clo. WA7 45 F6
Sandy La. WA7 44 A4
Saxon Rd. WA7 45 F2
Sea La. WA7 45 G1
Sedbergh Gro. WA7 45 H6
Seneschal Ct. WA7 45 H6
Sewell St. WA7 45 E2
Shaw St. WA7 44 D2
Solway Gro. WA7 45 G6
*South Bank Ter,
  Greek St. WA7 44 D1
South Par. WA7 44 A4
South Rd. WA7 44 A4
Southlands Ct. WA7 44 D3
*Southlands Mws,
  Southlands Ct.
  WA7 44 D3
Southway. WA7 45 H4
Speakman St. WA7 44 D1
Spennymoor Ct. WA7 44 H5
Spring Ct. WA7 45 E1
Springbank Clo. WA7 45 E6
Stanley St. WA7 45 E1
Stanmore Rd. WA7 45 G1
Stapley Clo. WA7 44 C2
Station Rd. WA7 44 D1
Stenhills Cres. WA7 45 F2
Stonehills La. WA7 45 F2
Suffolk St. WA7 44 C1
Surrey St. WA7 44 D2
Sutherland Ct. WA7 45 E1
Sutton St. WA7 45 E2
Sycamore Rd. WA7 45 F3
Sydney St. WA7 44 B5
Tarvin Clo. WA7 45 F5
Tawny Ct. WA7 45 H5
Taylors Row. WA7 45 F2
Tenby St. WA7 45 G2
The Elms. WA7 44 C3
The Glebe. WA7 45 H2
The Heys. WA7 45 G2
The Tithings. WA7 45 H3

The Winnows. WA7 45 G2
Thirsk Clo. WA7 45 F6
Thomas Ct. WA7 45 H5
Thomas St. WA7 45 E1
Thorn Clo. WA7 45 F4
Thorn Rd. WA7 45 F4
Tildsley Cres. WA7 44 D6
Trafford Cres. WA7 45 F5
Tree Bank Clo. WA7 44 D3
Trentham St. WA7 44 C1
Trinity St. WA7 45 E1
Ullswater Gro. WA7 45 G6
Union St. WA7 45 E2
Vahler Ter. WA7 45 F1
Vicar St. WA7 44 D1
Victoria Rd. WA7 44 D2
Vine St. WA7 44 D2
Vista Rd. WA7 44 D3
Walpole Rd. WA7 45 E5
Walton Rd. WA7 45 H2
Warrington Rd. WA7 45 H2
Water St. WA7 44 D1
Waterloo Rd. WA7 44 D1
Weaver Rd. WA7 44 D6
Wellington St. WA7 44 D1
Wellington St. WA7 44 D2
West La. WA7 45 H4
West Rd. WA7 44 A4
Westfield Cres. WA7 44 C3
Westfield Mws. WA7 44 C3
Westfield Rd. WA7 44 B3
Weston Cres. WA7 44 D5
Weston Rd. WA7 44 C4
Whatcroft Clo. WA7 45 G5
Wheatlands. WA7 45 H3
Whinfell Gro. WA7 45 H6
Whitby Rd. WA7 45 E3
Whitchurch Way.
  WA7 45 G5
Whitley Clo. WA7 44 D3
Wicksten Dri. WA7 45 F2
Wilding St. WA7 45 E1
Willow Clo. WA7 45 F4
*Windmill St,
  Halton Rd. WA7 45 E1
Windsor Gro. WA7 45 E3
Wivern Pl. WA7 45 E1
Woodall Dri. WA7 45 E3
Woodford Clo. WA7 45 E5
York Pl. WA7 45 E2
York St. WA7 44 D2

SANDBACH

Abbey Rd. CW11 46 B3
Acacia Dri. CW11 46 B2
Adlington Dri. CW11 47 F2
Alderley Clo. CW11 47 E3
Anvil Clo. CW11 46 C6
Arley Wk. CW11 46 A4
Armitstead Rd. CW11 46 C5
Austen Clo. CW11 46 A3
Bagmere Clo. CW11 46 B2
Bailey Cres. CW11 47 G3
Barlow Way. CW11 47 E1
Bath St. CW11 47 F3
Beech Gro. CW11 47 F3
Belle Vue Ter. CW11 46 D3
Belmont Av. CW11 46 D2
Bechton Clo. CW11 47 F2
Betchton Rd. CW11 47 F6
Birch Gdns. CW11 47 E3
Birtles Clo. CW11 47 E2
Blackacres Clo. CW11 46 C3
Blakemere Way.
  CW11 46 C1
Bold St. CW11 47 E3
Bollin Clo. CW11 46 B2
Booth Av. CW11 47 E2
Boothsmere Clo.
  CW11 46 C1
Boulton Clo. CW11 47 F6
Bowles Clo. CW11 47 E2
Bradwall Rd. CW11 47 E2
Bradwall St. CW11 46 D2
Bramall Clo. CW11 47 F2
Brereton Clo. CW11 47 F2
Bridgemere Clo.
  CW11 46 C1
Brindley Pk. CW11 46 C3
Brock Hollow. CW11 46 B5
Brook Ct. CW11 47 E3

Brook Ter. CW11 46 C6
Brookhouse Rd. CW11 47 E3
Brookland Dri. CW11 47 G3
Brookmere Clo. CW11 46 B1
Browning Clo. CW11 46 B2
Budworth Clo. CW11 46 B2
Byron Clo. CW11 46 A3
Capesthorne Clo.
  CW11 47 F2
Chapel St,
  Sandbach. CW11 46 D3
Chapel St,
  Wheelock. CW11 46 D6
Chapelmere Clo. CW11 47 F3
Charlesworth Ct. CW11 47 F3
Chartwell Pk. CW11 46 D5
Chesterton Gro. CW11 46 A3
Church La. CW11 47 H1
Church St. CW11 47 E3
Clifton Rd. CW11 46 A2
Coldmoss Dri. CW11 47 F5
Coleridge Clo. CW11 46 A4
Colley La. CW11 47 E4
Commons Mill. CW11 47 E2
Condliffe Clo. CW11 47 E4
Congleton Rd. CW11 47 E3
Cooksmere La. CW11 46 C1
Coopers Opening.
  CW11 46 D2
Coronation Cres.
  CW11 46 D6
Cottons La. CW11 46 D6
Coverdale Fold. CW11 46 A4
Crabmill Dri. CW11 46 B2
Crewe Rd. CW11 46 C5
Cross La. CW11 47 F4
Cross St. CW11 47 E2
Crown Bank. CW11 47 E3
Cumbermere Dri.
  CW11 46 B2
Daisybank Dri. CW11 47 F3
Dalton Ct. CW11 46 B2
Dane Clo. CW11 46 B2
Davenport Clo. CW11 47 F1
Dean Clo. CW11 46 B1
Deans La. CW11 46 B3
Dee Clo. CW11 46 B1
Delamere Clo. CW11 46 C1
Dickens Clo. CW11 46 A3
Dingle Bank. CW11 47 E3
Dingle La. CW11 47 E3
Doddington Dri. CW11 47 F1
Dorfold Clo. CW11 47 F2
Dove Clo. CW11 47 D1
Drovers Way. CW11 46 D4
Dukes Cres. CW11 46 D1
Dunham Clo. CW11 46 C1
Eaton Clo. CW11 47 E2
Eleanor Rd. CW11 46 B2
Ellesmere Clo. CW11 46 C1
Elm Tree La. CW11 46 A1
Elton Crossings Rd.
  CW11 46 A3
Elton Rd. CW11 46 A4
Elworth Rd. CW11 46 A3
Elworth St. CW11 46 D2
Etherow Clo. CW11 46 B2
Ettily Av. CW11 46 A4
Eva St. CW11 46 B1
Fairfield Av. CW11 46 B1
Ferndale Clo. CW11 47 F4
Fields Dri. CW11 46 D4
First Av. CW11 46 D4
Flat La. CW11 47 E3
Forge Fields. CW11 46 C6
Foundry La. CW11 46 A2
Front St. CW11 46 A2
Game St. CW11 46 C6
Gawsworth Dri. CW11 47 F2
George St. CW11 46 B1
Georges Wk. CW11 46 B1
Gibson Cres. CW11 46 A3
Goldsmith Dri. CW11 46 A3
Gowy Clo. CW11 46 B1
Grange Clo. CW11 46 C2
Grange Way. CW11 46 C2
Green Acres. CW11 46 D2
Green St. CW11 47 E2
Hartford Clo. CW11 47 F2
Hassall La. CW11 47 F6
Hatchmere Clo. CW11 46 C2
Hawk St. CW11 47 E3
Hawthorn Dri. CW11 47 F3
Heath Av. CW11 47 G3

Heath Clo. CW11 47 G3
Heath Rd. CW11 47 F3
Henshall Dri. CW11 47 F1
High St. CW11 47 E3
Hightown. CW11 47 E3
Hill St. CW11 46 A2
Hind Heath La. CW11 46 C5
Hind Heath Rd. CW11 46 B4
Holland Clo. CW11 47 E4
Holly Heath Clo. CW11 47 F4
Hope St. CW11 47 E3
Houndings La. CW11 46 D5
Hungerford Pl. CW11 46 D4
INDUSTRIAL & RETAIL:
Lodge Rd Ind Est.
  CW11 46 B4
Zan Ind Est. CW11 46 D6
King St. CW11 46 B1
Langley Clo. CW11 47 F1
Latham Rd. CW11 46 D4
Laurel Clo. CW11 47 E4
Lawrence Clo. CW11 46 A3
Lawton Way. CW11 46 B2
Lea Clo. CW11 47 F4
Lightley Clo. CW11 46 D5
Lightley Ct. CW11 46 D5
Lime Clo. CW11 46 D2
Linden Ct. CW11 46 C6
Lodge Rd. CW11 46 B4
London Rd. CW11 46 A1
Manifold Clo. CW11 46 B1
Manor Rd. CW11 47 F3
Manor Way. CW11 47 G3
Maple Clo. CW11 47 E4
Market Sq. CW11 47 E3
Marlowe Clo. CW11 46 A4
Marriott Rd. CW11 46 C6
Marsh Green Rd.
  CW11 46 A1
Masefield Way. CW11 46 A4
Meadowgate Clo.
  CW11 46 A4
Middlewich Rd. CW11 46 B2
Mill Hill Dri. CW11 46 D4
Mill Hill La. CW11 46 D4
Mill La. CW11 46 D6
Mill Row. CW11 47 F3
Millbuck Way. CW11 46 A3
Milton Way. CW11 46 A3
Moreton Clo. CW11 47 E2
Mornington Clo.
  CW11 46 B2
Mortimer Dri. CW11 47 F4
Moss La. CW11 46 A2
Moston Rd. CW11 46 A4
Mulberry Gdns. CW11 46 A2
New St. CW11 46 A2
Newall Av. CW11 46 D3
Newcastle La. CW11 47 H5
Newfield St. CW11 47 E2
Norton Way. CW11 46 A2
Oak St. CW11 46 A1
Oakley Clo. CW11 46 D1
Oakmere Clo. CW11 46 C2
Oakwood Cres. CW11 47 G3
Offley Av. CW11 47 E2
Offley Rd. CW11 47 E2
Old Mill Rd. CW11 47 E3
Oldfield Rd. CW11 46 C5
Ordsall Clo. CW11 46 C6
Ormerod Clo. CW11 47 E4
Osborne Clo. CW11 46 A4
Ossmere Clo. CW11 46 C1
Palmer Rd. CW11 46 C3
Park House Dri. CW11 47 F1
Park La. CW11 46 C3
Pear Tree Clo. CW11 47 G3
Peckforton Clo. CW11 46 B1
Pender Way. CW11 46 A3
Pickmere Clo. CW11 46 C2
Pickwick Clo. CW11 47 F1
Pine Gro. CW11 47 F3
Plant St. CW11 46 D2
Platt Av. CW11 46 D2
Price Av. CW11 46 D4
Price Dri. CW11 46 D4
Princess Dri. CW11 46 C1
Proctors La. CW11 46 A4
Queens Clo. CW11 46 D1
Radbrooke Clo. CW11 47 F1
Radcliffe Rd. CW11 46 C6
Radnor Clo. CW11 46 B2
Randle Bennett Clo.
  CW11 46 B2

Raven Clo. CW11 46 D1
Ravenscroft Clo.
  CW11 47 F2
Redesmere Clo. CW11 46 C2
Reynolds La. CW11 47 H2
Richardson Clo. CW11 46 A3
Richmond Clo. CW11 46 B2
Riley Clo. CW11 46 B4
Robin Clo. CW11 46 D1
Roman Way. CW11 46 B2
Rookery Clo. CW11 46 A4
Rostherne Way. CW11 46 C2
Rowan Clo. CW11 46 C2
Ruscoe Av. CW11 46 B3
St Johns Way. CW11 47 G3
St Peters Rise. CW11 46 B2
St Stephens Ct. CW11 46 A2
Salt Line Way. CW11 46 A2
Sanbec Way. CW11 47 E3
Sandy La. CW11 46 A4
Saxon Way. CW11 47 E3
School La,
  Elworth. CW11 46 B2
School La, Sandbach
  Heath. CW11 47 H3
Scott Clo 4 A3
Second Av. CW11 46 D4
Shelley St. CW11 46 A3
Silver Ter. CW11 47 G3
Skeath Clo. CW11 47 G3
Smithfield La. CW11 47 F3
Smithy Wk. CW11 46 C6
Somerford Clo. CW11 47 F1
Southey Clo. CW11 46 A4
Stannerhouse La.
  CW11 47 G6
Station Rd. CW11 46 A1
Station Vw. CW11 46 A1
Sterne Clo. CW11 46 A3
Stringer Av. CW11 47 F3
Swallow Dri. CW11 46 B1
Sweettooth La. CW11 46 D2
Swettenham Clo.
  CW11 47 F2
Sycamore Gro. CW11 46 D1
Tabley Clo. CW11 46 B1
Tame Clo. CW11 46 B1
Tatton Dri. CW11 47 F2
Taxmere Clo. CW11 46 C2
Telford Gdns. CW11 46 C6
Thackery Ct. CW11 46 A4
The Avenue. CW11 46 B1
The Commons. CW11 46 B2
The Coppice. CW11 46 B2
*The Gardens,
  Old Mill Rd. CW11 47 E3
The Hill. CW11 47 F3
The Spinney. CW11 47 F3
The Woodlands. CW11 47 F4
Third Av. CW11 46 D4
Thornbrook Way.
  CW11 46 A4
Tiverton Clo. CW11 47 F2
Town Fields. CW11 46 D4
Twemlow Av. CW11 47 E2
Union St. CW11 46 D3
Vicarage Gdns. CW11 46 B1
Vicarage La. CW11 47 G5
Vicarage La,
  Elworth. CW11 46 B2
Victoria St. CW11 46 D2
Waterside Mws. CW11 46 C6
Weaver Clo. CW11 46 B2
Well Bank. CW11 47 E3
Welles St. CW11 47 F2
Wesley Av. CW11 47 E3
West Way. CW11 46 C5
Wheelock Wharf.
  CW11 46 D6
Willow Dri. CW11 47 G2
Withington Clo. CW11 47 F2
Woodside Dri. CW11 47 F3
Wordsworth Clo.
  CW11 46 A3
Wrenmere Clo. CW11 46 D4
Wrights La. CW11 47 G3
Zan Dri. CW11 46 C6

WARRINGTON

Academy St. WA1 48 D4
Academy Way. WA1 48 D4

Adam St. WA2 48 D2
Adamson St. WA4 48 C6
Alamein Cres. WA2 48 D2
Alder Cres. WA2 48 D1
Alder La. WA2 48 C1
Alexandra St. WA1 49 F2
Algernon St. WA1 49 E3
Allcard St. WA5 48 B2
Allen St. WA2 48 C3
Alpass Av. WA5 48 B1
Amelia St. WA2 48 D2
Annie St. WA2 48 D3
Arnhem Cres. WA2 48 D2
Arnold St. WA1 49 F3
Arpley Rd. WA1 48 C5
Arpley St. WA1 48 B4
Arthur St. WA2 48 B3
Ash Gro. WA4 49 E6
Ashbrook Cres. WA2 49 E1
*Ashton St,
  John St. WA2 48 D3
Ashwood Av. WA1 49 F2
Aspen Gro. WA1 49 H2
Astley Clo. WA4 48 D6
*Back Forshaw St,
  Forshaw St. WA2 48 D2
Backbrook Pl. WA4 49 F6
Bagot Av. WA5 48 B1
*Bakers Pl,
  Sharp St. WA2 48 D2
Bank St. WA1 48 D4
Banks Cres. WA4 49 G5
Barbauld St. WA1 48 C4
Barnack Clo. WA1 49 H1
Barry St. WA4 48 D4
Barrymore Av. WA4 49 G5
Barton Av. WA4 49 H6
Bath St. WA1 48 C4
Battersby La. WA2 48 D3
Baxter St. WA5 48 A4
Beatrice St. WA4 49 E6
Beaufort St. WA5 48 A5
Beech Gro. WA4 49 E6
Beech Gro. WA1 49 F1
Beechwood Av. WA1 49 F1
Belgrave Av. WA1 49 G1
Belmont Av. WA4 49 G6
Bennett Av. WA1 49 G3
Bennett St. WA1 48 D4
Beresford St. WA1 49 F2
*Betjeman Clo,
  Richmond Av. WA4 49 H5
Bewsey Rd. WA5 48 B2
Bewsey St. WA2 48 C3
Bibby Av. WA1 49 F3
Birch Gro. WA4 49 E6
Birch Gro. WA1 49 G2
Birchdale Rd. WA1 49 H2
Birchwood Way. WA2 49 F1
Blackhurst St. WA1 48 D4
Bluecoat St. WA2 48 C2
Bold St. WA1 48 C4
Bolton Av. WA4 49 G5
Bostock St. WA5 48 A3
Boteler Av. WA5 48 B2
Boundary St. WA1 49 F2
Bowdon Clo. WA1 49 G1
Bowman Av. WA4 49 H4
Boydell Av. WA4 49 G5
Brackley Clo. WA4 49 F6
Bramhall St. WA5 48 A3
Brian Av. WA4 49 F1
Briarwood Av. WA1 49 F2
Brick St. WA1 48 D3
Bridge Av. WA4 49 G5
Bridge Av East. WA4 49 G5
Bridge St. WA1 48 C4
Bridgefoot. WA1 48 C4
Bridgewater Av. WA4 49 G5
Bridlemere Ct. WA4 49 F1
Brighton St. WA5 48 A3
Brindley Av. WA4 49 G5
Broadbent Av. WA4 49 G5
Brompton Gdns. WA5 48 A2
Brook Av. WA4 49 G4
*Brook Pl,
  Back Brook Pl. WA4 49 F2
Brookland St. WA1 49 F2
Brownhill Dri. WA1 49 G1
Bruche Av. WA1 49 G2
Bruche Dri. WA1 49 G1
*Bruche Heath Gdns,
  Lambs La. WA1 49 H1
Bruntleigh Av. WA4 49 H6

Bryant Av. WA4 49 H4
Buckley St. WA2 48 C3
Bucton St. WA1 49 E2
Budworth Av. WA4 49 G5
Burgess Av. WA4 48 D6
Buttermarket St. WA1 48 D4
Cabul Clo. WA2 49 E2
Cairo St. WA1 48 C4
Canterbury St. WA4 48 D5
Carol St. WA4 49 E5
Cartwright St. WA5 48 A3
Catherine St. WA5 48 B2
Causeway Av. WA4 48 D6
Cedar Gro. . WA4 49 E6
Cedar Gro. WA1 49 H2
Central Av. WA4 48 D6
Central Av. WA2 48 D1
Central Rd. WA4 48 D6
Centre Pk. WA1 48 C5
Centre Pk Sq. WA1 48 C5
Chantler Av. WA4 49 G5
Charlton St. WA4 49 G6
Charter Av. WA5 48 B1
Chaucer Pl. WA4 49 H5
Chester Rd. WA4 48 C6
*Chester St,
  Chorley St. WA2 48 D3
Chorley St. WA2 48 D3
Church St. WA1 48 D4
Clapgates Cres. WA5 48 A2
Clapgates Rd. WA5 48 A2
Clarence St. WA1 49 F2
Claude St. WA1 49 E3
Cleeves Clo. WA1 49 E4
Clegge St. WA2 48 D3
Clelland St. WA4 49 E6
*Cliffe St,
  Crossfield St. WA1 48 B4
Clifton St. WA4 49 E5
Cobden St. WA2 48 D2
Cockhedge La. WA1 48 D4
Cockhedge Way. WA1 48 D4
College Clo. WA1 49 E4
Collin St. WA5 48 A4
Connaught Av. WA1 49 F2
Corbet Av. WA2 48 C1
Cornwall St. WA1 49 F2
Cowdell St. WA2 48 D2
Crosby Av. WA5 48 B1
Crosfield St. WA1 48 B3
Cross La. WA4 49 H6
Cross St. WA2 48 D2
Crossley St. WA1 48 D3
Crown St. WA1 48 C4
Cumberland St. WA4 49 E5
Cygnet Ct. WA4 48 C6
Cyril St. WA2 48 D2
Dallam La. WA2 48 C3
Dalton Av. WA5 48 B2
Dalton Bank. WA1 48 E3
Danby Clo. WA5 48 A2
Davenham Av. WA1 49 F1
Davenport Av. WA4 49 G4
Davies Av. WA4 49 G5
Delamere St. WA5 48 A4
Delery Dri. WA1 49 F1
Delves Av. WA5 48 A2
Denver Rd. WA4 49 H6
Derby Dri. WA1 49 H1
Devonshire Rd. WA1 49 G1
Dial St. WA1 48 D4
Dickenson St. WA2 48 D2
Dixon St. WA1 48 B4
Dorothea St. WA2 48 D2
Dover Rd. WA4 49 H6
Dudley St. WA2 48 D2
Duncan St. WA2 49 E2
Dunlop St. WA4 48 D4
Dutton St. WA1 48 D4
Earl St. WA2 48 D2
East Av. WA2 48 D1
Eastdale Rd. WA1 49 H2
Edelston St. WA5 48 B4
Edgeworth St. WA2 48 C3
Egerton Av. WA5 48 A2
Egerton St. WA1 49 E4
Egypt St. WA1 48 C4
Elaine St. WA1 48 B4
Eldon St. WA1 49 E3
Eliot Av. WA1 49 F2
Elizabeth Dri. WA1 49 H1
Ellen St. WA5 48 D4
Ellesmere St. WA1 49 E4
Ellison St. WA4 48 D4

Elm Gro. WA1 49 G2
Elmtree Av. WA1 49 H1
Elmwood Av. WA1 49 F2
Enville St. WA4 48 D5
Eric Av. WA1 49 F1
Erwood St. WA2 48 C3
Eustace St. WA2 48 B3
Evans Pl. WA4 49 E6
*Evelyn St,
  Beaufort St. WA5 48 A5
Factory La. WA5 48 B4
Fairclough Av. WA1 49 E5
Fairfield St. WA1 49 E3
Farmside Clo. WA5 48 A2
Farrell St. WA1 48 E4
Fennel St. WA1 48 D4
Fife Rd. WA1 49 F2
Fir Gro. WA1 49 G2
Firecrest Clo. WA4 48 C6
Firtree Av. WA1 49 H1
Fitzherbert St. WA2 48 D2
Flers Av. WA4 48 D6
Fletcher St. WA4 49 E6
Florence St. WA4 49 E6
Folly La. WA5 48 A2
Ford St. WA1 49 E3
Forge La. WA1 49 E2
Forshaw St. WA2 48 D2
Forster St. WA2 48 D2
Fothergill St. WA1 49 E2
Foundry St. WA2 48 C3
Fox St. WA5 48 A4
Frederick St. WA4 49 F6
Friars Gate. WA1 48 C5
*Friars La,
  Friars Gate. WA1 48 C5
Froghall La. WA2 48 B4
Garibaldi St. WA5 48 B4
Garner St. WA2 49 E2
Garnett Av. WA4 49 H5
*Garven Pl,
  Sankey St. WA1 48 C4
Gaskell Av. WA5 48 A5
General St. WA1 48 D4
Gerrard Av. WA5 48 A2
Gibson St. WA1 49 E4
Gladstone St. WA2 49 E3
Glazebrook St. WA1 49 E3
Godfrey St. WA2 48 D2
Golborne St. WA1 48 C4
Gorsey La. WA1 49 E1
Goulden St. WA5 48 A3
Grace Av. WA2 48 C1
Grafton St. WA5 48 A3
Grammar School Rd.
  WA4 49 G6
Grange Av. WA4 49 G5
Grantham Av. WA1 49 G5
Granville St. WA1 49 E3
Greeba Av. WA4 48 C6
Green La. WA1 49 H1
Green St. WA5 48 A4
*Green St,
  Lovely La. WA5 48 A4
Greenall St. WA5 48 E4
Greenway. WA1 49 H2
Grey St. WA1 49 E3
Griffiths St. WA4 49 G5
Grosvenor Av. WA1 49 G2
Grounds St. WA2 48 D2
Grove St. WA4 49 E5
Guardian St. WA5 48 B3
Hale St. WA2 48 C2
Hall St. WA1 48 D4
Halla Way. WA4 49 F6
Hallfields Rd. WA2 49 E1
Hallows Av. WA2 49 E1
Halsall Av. WA2 49 E1
Hanover St. WA1 48 B4
Harbord St. WA1 49 E3
Hardy St. WA2 48 D2
*Hardy St,
  Norman St. WA2 48 D3
Haryngton Av. WA5 48 B2
Hatchmere Clo. WA5 48 A3
Hawthorn Gro. WA4 49 F6
Hawthorne Gro. WA1 49 G2
Haydock St. WA2 48 C3
Hazel Gro. WA4 49 H1
Hazel St. WA1 49 E2
Helmsley Clo. WA5 48 A2
Helsby St. WA1 49 E3
Henry St. WA1 48 B4
Henshall Av. WA4 49 G5

Hewitt St. WA4 49 E5
High Gates Clo. WA5 48 A2
High St. WA1 48 D3
Hill St. WA1 48 D3
Hillberry Cres. WA4 48 C6
Holford Av. WA5 48 A1
Holland St. WA5 48 A4
Holly Gro. WA1 48 A2
Holmesfield Rd. WA1 49 F4
Hopwood St. WA1 48 D3
Horrocks La. WA1 48 C4
Horsemarket St. WA1 48 C4
Houghton St. WA2 48 C3
Howley La. WA1 49 E3
Hoyle St. WA5 48 B2
Hughes St. WA4 49 E6
Hume St. WA1 49 E3

INDUSTRIAL & RETAIL:
Bewsey Ind Est. WA5 48 B2
Palentine Ind Est. WA4 48 D6
Ireland St. WA2 48 C1
Irwell Rd. WA4 48 C6
James St. WA1 48 D4
Jackson Av. WA1 49 G2
Jockey St. WA2 48 C2
John St. WA3 48 C3
Jubilee Av. WA1 49 G1
Kemmel Av. WA4 48 D6
Kendrick St. WA1 48 C4
Kenilworth Dri. WA1 49 G1
Kent St. WA4 48 D5
Kerfoot St. WA2 48 C2
Kimberley St. WA5 48 A4
King Edward St. WA1 49 F2
King George Cres. WA1 49 F2
Kingsway Nth. WA1 49 G4
Kingsway Sth. WA4 49 G4
Knutsford Rd. WA4 48 D5
Laira St. WA2 48 D2
Lakeside Dri. WA1 48 C6
Lambs La. WA1 49 H2
Lancaster St. WA5 48 A4
Larkfield Av. WA1 49 H2
Latchford St. WA4 49 H6
Lathom Av. WA1 48 D1
Lawn Av. WA1 49 G1
Legh St. WA1 48 C4
Leicester St. WA5 48 A4
Leonard St. WA2 48 D2
Levisham Gdns. WA5 48 A2
Lexden St. WA5 48 A3
Lilford Av. WA5 48 A1
Lilford St. WA5 48 B3
Limetree Av. WA1 49 H1
Lindley Av. WA4 49 G5
Liverpool Rd. WA5 48 A4
Lock Rd. WA1 49 H2
Lockett St. WA4 49 G6
Lockton La. WA5 48 A2
Lodge La. WA5 48 A2
Longdin St. WA4 49 G6
Longford St. WA2 48 C2
Longshaw St. WA5 48 B1
Lord Nelson St. WA1 48 D4
Lord St. WA4 48 D5
Lostock Av. WA1 48 B1
Lovely St. WA5 48 A3
Lowe Av. WA4 48 C6
Lower Wash La. WA4 49 F6
Lyndale Av. WA2 49 E1
Lyon St. WA4 49 G6
Lythgoes La. WA2 49 E3
Manchester Rd. WA1 49 E3
*Manley Gdns, Priestley St. WA5 48 A4
Manx Rd. WA4 48 C6
Maple Gro. WA4 49 E6
Marbury St. WA4 48 D5
Marsden Av. WA4 49 H5
Marsh House La. WA2 48 D2
Marsh St. WA1 49 F2
Marson St. WA2 48 C3
Martham Clo. WA4 49 H6
Mason Av. WA1 49 G1
Mason St. WA1 49 E4
Matthews St. WA1 49 E2
Mead St. WA1 49 H1
Melville Clo. WA2 48 C2
Menin Av. WA4 48 D6
Mersey St. WA1 48 D5
Mersey Wk. WA4 49 G4

Miller St. WA4 49 E5
Milner St. WA5 48 B4
Milton Gro. WA4 49 F6
Molyneux Av. WA5 48 B1
Morley St. WA1 49 E3
Morris Av. WA4 49 G5
Mort Av. WA4 49 H5
Mortimer Av. WA2 48 D1
Moseley Av. WA1 49 H5
Moss Rd. WA4 49 H6
Moulders La. WA1 48 D5
Moxon Av. WA4 49 G4
Museum St. WA1 48 B5
Myrtle Gro. WA1 49 E6
Napier St. WA1 49 E4
Navigation St. WA1 49 E4
Naylor St. WA1 48 D5
New Bridge. WA1 48 D5
New Rd. WA4 48 D5
Newcombe Av. WA2 49 F1
Newman St. WA4 49 G5
Nicholson St. WA1 48 B3
Nook La. WA4 49 H6
Nora St. WA1 48 A4
Norbury Av. WA2 49 E1
Norman St. WA2 48 D3
Normanby Clo. WA5 48 A2
Norreys Av. WA5 48 B1
Norris St. WA2 49 E1
North Av. WA2 48 D1
Northdale Rd. WA1 49 H1
Nursery Rd. WA1 49 G1
Oakland St. WA1 49 F2
Oakwood Av. WA1 49 F2
Old Liverpool Rd. WA5 48 A5
Old Rd. WA4 48 D5
Oldham St. WA4 49 E6
Oleary St. WA2 49 E2
Oliver St. WA2 48 C3
Orchard St. WA1 48 D4
Orford Av. WA2 48 D2
Orford La. WA1 48 D3
Orford Rd. WA2 49 F1
Orford St. WA1 48 D4
Owen St. WA2 48 C2
Oxford St. WA4 49 E5
Paddington Bank. WA1 49 G3
Padgate La. WA1 49 F2
Palmyra Sq Nth. WA1 48 C4
Palmyra Sq Sth. WA1 48 C4
Park Av. WA4 49 E6
Park Blvd. WA1 48 C5
Parkdale Rd. WA1 49 H2
Parker St. WA1 48 B5
Parkfield Av. WA1 49 H5
Parr St. WA1 48 C4
Patrivale Clo. WA1 49 G3
*Patten La, Barbauld St. WA1 48 C4
Paul St. WA2 48 B3
Peacock Av. WA1 49 F3
Pear Tree Pl. WA4 48 D5
Pendlebury St. WA4 49 H5
Penketh Av. WA5 48 A1
Percival St. WA4 48 D4
Percy St. WA5 48 A4
Pichael Nook. WA4 49 H5
Pickmere St. WA4 48 A4
Pierpoint St. WA4 48 B2
Pigot Pl. WA4 49 G4
Pine Gro. WA1 49 H2
Pinewood Av. WA1 49 F2
Pinners Brow. WA2 48 C3
Pitt St. WA5 48 B2
Plinston Av. WA4 49 G5
Plumtre Av. WA5 48 B1
Poachers La. WA4 49 G6
Powell St. WA4 49 G6
Prescott St. WA4 48 A4
Priestley St. WA5 48 A4
Prince Henry Sq. WA1 48 C4
Princess Av, Padgate. WA1 49 H1
Princess Av, Warrington. WA1 49 G3
Princess Cres. WA1 49 G3
Priory St. WA4 48 D6
Quebec Rd. WA2 49 E2
Queens Av. WA1 49 F2
Radnor St. WA5 48 A3
Regent Av. WA1 49 H1

*Regent St, Goldborne St. WA1 48 C4
Reid Av. WA5 48 B1
Reynolds St. WA4 49 H5
Rhodes St. WA2 48 D2
Richardson St. WA2 49 E1
Richmond Av. WA4 49 G5
Richmond St. WA4 49 H6
Ridgeway St. WA2 49 E1
Ripley St. WA5 48 A2
River Rd. WA4 48 D6
Riverside Clo. WA1 49 H1
Rixton Av. WA5 48 A1
Robert St. WA5 48 A3
Robson St. WA1 49 E3
Rock Rd. WA4 49 G5
Rodney St. WA2 48 C3
Rolleston St. WA2 48 B3
Roome St. WA2 49 E2
Roscoe Av. WA2 49 E1
Rosewood Av. WA1 49 F2
Royston Av. WA1 49 H2
Rushmore Gro. WA1 49 H2
Rylands St. WA1 48 C4
St Augustines Av. WA4 49 G5
St Austins La. WA1 48 C5
St Barnabas Pl. WA5 48 A3
St Benedicts Clo. WA2 48 D2
St Elphins Clo. WA1 49 E4
St Katherines Way. WA1 49 E4
St Marys St. WA1 48 D5
St Peters Way. WA2 48 D3
Salisbury St. WA1 49 E3
Salton Gdns. WA5 48 A2
Samuel St. WA5 48 A5
Sandhurst St. WA4 49 H6
Sankey St. WA1 48 B4
Sankey Way. WA5 48 A4
Saville Av. WA5 48 B2
School Brow. WA1 48 D4
School St. WA5 48 D5
Scotland Rd. WA1 48 C4
Scott St. WA2 48 D3
Seabury St. WA4 49 H5
Selby St. WA5 49 H6
Selkirk Av. WA4 49 H6
Seymour Dri. WA1 49 H2
Sharp St. WA2 48 D2
*Shaw St, Rodney St. WA2 48 D3
Shaws Av. WA2 48 D1
Sheerwater Clo. WA1 49 H2
Shelley Gro. WA4 49 G5
Shrewsbury St. WA4 49 E6
Silver St. WA2 48 C3
Simkin Av. WA4 49 G5
Slater St. WA4 49 E5
Slutchers La. WA1 48 C6
Smith Cres. WA2 49 E1
Smith Dri. WA2 49 E1
Smith St. WA1 48 D4
South Av. WA2 48 D2
Southdale Rd. WA1 49 H2
Southworth Av. WA5 48 B1
Springfield Av. WA1 49 H1
Springfield St. WA1 48 C4
Stanley St. WA1 48 A4
Stansfield Av. WA1 49 G3
Stapleton Av. WA2 49 F1
Starkey Gro. WA4 49 H5
Station Rd. WA4 49 G6
Steel St. WA1 49 F2
Stephen St. WA1 49 E3
Stringer Cres. WA4 49 F5
Suez St. WA1 49 E4
Sulby Av. WA4 49 G6
Surrey St. WA4 49 E5
Sutton St. WA1 48 D5
Syers Ct. WA 49 F1
Synge St. WA2 48 D2
Tanners La. WA2 48 C3
Terence Av. WA1 49 G2
Thelwall La. WA4 49 G6
Thelwall New Rd. WA4 49 H6
Thewlis St. WA5 48 A4
Thorn Rd. WA1 49 H1
Thynne St. WA1 48 B4
Tidal La. WA1 49 G1
Tilley St. WA1 48 D3
Tilston Av. WA1 49 H5
Timperley Av. WA1 49 H5

Tinsley St. WA4 49 G6
Tomlinson Av. WA2 49 E1
Towers St. WA5 48 A2
Town Hill. WA1 48 C4
Trafford Av. WA5 48 A1
Treetops Clo. WA1 49 G2
Troutbeck Av. WA5 48 A4
Union St. WA1 48 C4
Vale Av. WA2 48 D1
Venns Rd. WA2 49 E2
Vernon St. WA1 48 D5
Victoria St. WA1 48 D4
Villars St. WA1 49 E4
Walker St. WA2 48 B3
Wallis St. WA1 48 C6
Walter St. WA1 49 F2
Wardour St. WA5 48 A3
Waring Av. WA4 49 H4
Warwick Av. WA5 48 A2
Wash La. WA4 49 F6
Watkin St. WA2 48 C2
Wellfield St. WA5 48 A4
Wellington St. WA1 48 D4
Wenlock Clo. WA1 49 H1
West Av. WA2 48 D1
West St. WA2 48 D2
Westbury Clo. WA1 49 H1
Westdale Rd. WA1 49 H2
*Westminster Pl, Horsemarket St. WA1 48 C4
Westover Rd. WA1 49 G2
Westy La. WA4 49 G5
Whalley St. WA1 49 E3
Wharf St. WA1 49 E5
Wharfe St. WA1 48 D5
Whitchurch Clo. WA1 49 H1
White St. WA1 48 B4
Whitecross Rd. WA5 48 A4
Whitfield St. WA1 49 G2
Whitley Av. WA4 49 H5
Wilderspool Causeway. WA4 48 D5
Wilkinson Av. WA1 49 G3
Wilkinson St. WA2 49 E2
William Beaumont Way. WA1 48 C4
Willis St. WA1 49 E3
Wilson Patten St. WA1 48 B5
Wilson St. WA5 48 B2
Winifred St. WA2 48 D2
Winmarleigh St. WA1 48 C4
Windsor St. WA5 48 A3
Winwick Rd. WA2 48 C1
Winwick St. WA2 48 C3
Withers Av. WA2 49 E1
Wood St. WA1 49 E3
Woolacombe Clo. WA4 49 F6
Wordsworth Av. WA4 49 G5
Worsley Av. WA4 49 G5
Worsley St. WA5 48 B2
Yardley Av. WA5 48 B1
York St. WA4 48 D5

WEAVERHAM

Ainsworth Rd. CW8 43 D4
Alder Rd. CW8 43 B6
Almond Gro. CW8 43 D6
Ash Gro. CW8 43 C6
Bank Side. CW8 43 B4
Barrymore Rd. CW8 43 C5
Beech Gro. CW8 43 C5
Beech Heys Clo. CW8 43 D6
Beech Heys Dri. CW8 43 D6
Bollin Hill. CW8 43 D6
Briar La. CW8 43 C6
Brookside. CW8 43 B5
Cedar Rd. CW8 43 B5
Chapel St. CW8 43 B4
Cherry La. CW8 43 C6
Church Clo. CW8 43 C4
Church La. CW8 43 C4
Church St. CW8 43 B4
Clitheroe Rd. CW8 43 C4
Court La. CW8 43 A5
Cypress Mews. CW8 43 C6
Elm Rd. CW8 43 C6
Esthers La. CW8 43 C5
Farm Clo. CW8 43 C4
Farm Rd. CW8 43 B4
Fern Way. CW8 43 B5

Fieldway. CW8 43 B4
Fir Gro. CW8 43 B6
Forest St. CW8 43 B5
Forster Av. CW8 43 D5
Gerrard Dri. CW8 43 C4
Gleave Rd. CW8 43 C4
Gorstage La. CW8 43 B5
Grange La. CW8 43 A6
Green Pk. CW8 43 A6
Greenwood Clo. CW8 43 C5
Hawthorn Rd. CW8 43 B5
Hazel Dri. CW8 43 C6
Heath Rd. CW8 43 D5
Hefferston Grange Dri. CW8 43 A6
Hefferston Rise. CW8 43 A6
High St. CW8 43 B4
Holly Rd. CW8 43 B4
Hunters Hill. CW8 43 B4
Keepers La. CW8 43 B4
Kendrick Clo. CW8 43 C4
Laburnum Gro. CW8 43 C6
Lakehouse Clo. CW8 43 C4
Larch Clo. CW8 43 C6
Leafy Way. CW8 43 C6
Leigh Way. CW8 43 B4
Lime Av. CW8 43 B5
Long Acre. CW8 43 B5
Long Meadow. CW8 43 B5
Meadow Rd. CW8 43 D6
Mervyn Rd. CW8 43 D5
Middlehurst Av. CW8 43 D5
Morris Dri. CW8 43 B4
Moss St. CW8 43 B4
Northwich Rd. CW8 43 B4
Oak Meadow. CW8 43 D6
Orchard Clo. CW8 43 C4
Orchard Ct. CW8 43 C4
Owley Wood Rd. CW8 43 C4
Park Av. CW8 43 C5
Pinfold Way. CW8 43 C4
Poplar Rd. CW8 43 C6
Rowan Rd. CW8 43 B5
Rutland Dri. CW8 43 B3
Russet Rd. CW8 43 C5
St Bedes Av. CW8 43 C4
St Marys Av. CW8 43 B4
Sandy La. CW8 43 B4
Shadybrook La. CW8 43 B4
Smiths La. CW8 43 B4
Stable Ct. CW8 43 B4
Station Rd. CW8 43 A4
The Corners. CW8 43 D6
The Courtyard. CW8 43 A6
The Crescent. CW8 43 C4
Tower La. CW8 43 B4
Valley Rd. CW8 43 B4
Wallerscote Clo. CW8 43 D5
Wallerscote Rd. CW8 43 C5
Walnut Av. CW8 43 B5
Weaver Vw. CW8 43 C4
Well La. CW8 43 B3
West Rd. CW8 43 A4
Wilbraham Rd. CW8 43 D4
Willow Grn. CW8 43 C5
Withens Clo. CW8 43 C5
Withens La. CW8 43 C5
Wood La. CW8 43 D6
Woodward St. CW8 43 B4
Wyncroft Ct. CW8 43 B4

WIDNES

Acacia Av. WA8 50 C2
Addison Sq. WA8 50 B4
Albert Rd. WA8 50 D4
Albion St. WA8 51 B7
Alder Av. WA8 50 C2
Alexandra St. WA8 51 B6
Alforde St. WA8 51 C5
*Alforde St, Croft St. WA8 51 C6
Alfred Clo. WA8 51 C5
Alfred St. WA8 51 C5
Alice St. WA8 51 B8
Allerton Rd. WA8 50 D3
Amelia Clo. WA8 50 D1
Ann St West. WA8 51 C6
Ansdell Rd. WA8 50 D3
Appleton Rd. WA8 50 C3
*Appleton St, Croft St. WA8 51 C6

Appleton Village. WA8 50 C4
Ashford Way. WA8 50 F3
Ashley Way. WA8 51 A6
Ashley Way W. WA8 51 B6
Balham Clo. WA8 50 B1
Balmoral Rd. WA8 50 B1
Bancroft Rd. WA8 50 E3
Bank St. WA8 51 B8
Barn St. WA8 51 B7
Barnes Clo. WA8 50 E3
Barnes Rd. WA8 50 E3
Barrows Green La. WA8 50 F3
Barrows Row. WA8 50 B1
Batherton Clo. WA8 51 C6
Battersea St. WA8 50 A2
Beaconsfield Cres. WA8 50 C1
Beaconsfield Gro. WA8 50 C1
Beaconsfield Rd. WA8 50 C1
Beamont St. WA8 51 B8
Belgravia Ct. WA8 50 A2
Bell House Rd. WA8 50 D4
Belmont Rd. WA8 50 F3
Belvoir Rd. WA8 50 D3
Bembridge Clo. WA8 50 A1
Bennetts La. WA8 50 F3
Bilton Clo. WA8 50 F2
Birch Rd. WA8 50 C2
Birchfield Av. WA8 50 B3
Birchfield Rd. WA8 50 B1
Bishops Way. WA8 50 E2
Black Dentons Pl. WA8 50 E4
Bold St. WA8 51 B6
Bower St. WA8 50 D4
Boxgrove Clo. WA8 50 D2
Bradley Way. WA8 50 D4
Bradshaw St. WA8 50 B3
Breck Rd. WA8 50 D3
Bridgeview Clo. WA8 51 B8
Browning Av. WA8 51 A5
Browns St. WA8 51 E5
Brunner Rd. WA8 50 B4
Brynn St. WA8 51 C5
Buckingham Av. WA8 50 B1
Burns Cres. WA8 50 A4
Burton Clo. WA8 50 A1
Caldwell Rd. WA8 51 B5
Cambridge St. WA8 51 C5
Campsey Ash. WA8 50 A1
Capesthorne Clo. WA8 51 A5
Carey St. WA8 50 C4
*Carlisle St, William St. WA8 50 D3
Carlton St. WA8 51 C5
Carmel Ct. WA8 50 C1
Castle St. WA8 50 E4
Catherine St. WA8 51 B6
Cedar Av. WA8 50 C2
Cedardale Pk. WA8 50 F1
Chapel St. WA8 51 B6
Charles St. WA8 51 C5
Charlotte Wk. WA8 51 C6
Cheryl Dri. WA8 50 F3
Chester St. WA8 50 C4
Chestnut Av. WA8 50 C3
Chetwood Dri. WA8 50 A1
Chidlow Clo. WA8 51 B8
Cholmondeley St. WA8 51 B8
Chorleys La. WA8 50 F2
Christie St. WA8 50 E4
Church St. WA8 51 B8
Claremont Av. WA8 50 D1
Claremont Dri. WA8 50 D1
Clarence Av. WA8 50 B1
Clayton Cres. WA8 50 B4
Cleveleys Av. WA8 50 E2
*Cliffe St, William St. WA8 50 D3
Coleridge Gro. WA8 50 A4
Conubia Rd. WA8 51 E5
Cooper St. WA8 50 E4
Cornforth Way. WA8 50 A2
Cornwall Rd. WA8 50 C2
Coroners La. WA8 50 C1
Cowan Way. WA8 50 A1
Croft St. WA8 51 B6
Cromwell St. WA8 51 B7

Cross St. WA8 50 D4
Crow Wood La. WA8 50 E3
Crow Wood Pl. WA8 50 E2
Cypress Av. WA8 50 C2
Dans Rd. WA8 50 F3
Darlington Ct. WA8 51 B6
Davies St. WA8 51 B6
Deacon Rd. WA8 50 C4
Dean Clo. WA8 50 C4
Dean St. WA8 50 C4
Deirdre Av. WA8 50 C4
Dennis Rd. WA8 51 D5
Denton St. WA8 50 D4
Derby Rd. WA8 50 C2
Desoto Rd. WA8 51 A8
Desoto Rd East. WA8 51 A7
Devon Pl. WA8 50 C2
Dickson Clo. WA8 50 C4
Dickson St. WA8 50 C4
Ditton Rd. WA8 51 A6
Dock Rd. WA8 51 B7
Dock St. WA8 51 B7
Doward St. WA8 50 D3
Drummond Ct. WA8 50 E3
Dundalk Rd. WA8 51 A5
Durham Rd. WA8 50 C2
Dykin Clo. WA8 50 F1
Dykin Rd. WA8 50 F2
Earle Rd. WA8 51 C5
East St. WA8 50 E4
Edward St. WA8 50 E3
Edwin St. WA8 50 D3
Egdon Clo. WA8 50 F3
Egypt St. WA8 51 B5
Elaine Clo. WA8 50 D3
Eleanor St. WA8 51 B6
Elizabeth Ct. WA8 51 C6
Elkan Clo. WA8 50 F2
Elkan Rd. WA8 50 F2
Elliot St. WA8 50 C4
Ellis St. WA8 51 B6
Elm Av. WA8 50 C3
Elm Gro. WA8 50 C3
Eric St. WA8 50 D3
Factory La. WA8 50 D2
Fairfield Rd. WA8 50 C2
Fairhaven Rd. WA8 50 D3
Fairhavens Ct. WA8 51 C5
Farnworth Clo. WA8 50 C1
Farnworth Rd. WA8 50 F1
Farnworth St. WA8 50 C1
Farrant St. WA8 50 C4
Fiddlers Ferry Rd. WA8 51 C5
Fieldway. WA8 50 F3
Finlan Rd. WA8 51 B6
Fir St. WA8 50 D3
Foster St. WA8 50 C4
Foxley Heath. WA8 51 A5
Frank St. WA8 50 D4
Frederick St. WA8 50 C4
French St. WA8 50 E4
Galion Way. WA8 50 A1
Ganton Clo. WA8 50 C1
Gerrard St. WA8 51 C5
Giltbrook Clo. WA8 50 B2
Gladstone St. WA8 50 C4
Gloucester Rd. WA8 50 C2
Gorsey La. WA8 50 F4
Green Oaks Path. WA8 50 E4
Green Oaks Way. WA8 50 D4
Greenway Rd. WA8 50 C3
Gregson Rd. WA8 50 D4
Grenfell St. WA8 51 C5
Griffin Mws. WA8 50 D1
Grosvenor Rd. WA8 50 C1
Grundy Clo. WA8 50 A2
Guernsey Rd. WA8 50 F2
Guest St. WA8 51 B6
Hadfield Clo. WA8 50 F3
Haig Rd. WA8 50 B4
Halton Vw Rd. WA8 50 D4
Hargreaves Ct. WA8 50 E3
Harris St. WA8 50 E3
*Hawthorn Av, Larch Av. WA8 50 D3
Henderson Rd. WA8 50 B4
Henry St. WA8 50 D3
Hibbert St. WA8 50 C4
Higher Ashton. WA8 50 A1
Highfield Cres. WA8 50 B3
Highfield Rd. WA8 50 B4

Hilary Clo. WA8 50 F2
Holborn Ct. WA8 50 A2
Holkham Clo. WA8 50 A4
Holyrood Av. WA8 50 B1
Honeysuckle Clo. WA8 50 D1
Hood Rd. WA8 50 A4
Houghton Ct. WA8 50 E3
Houghton St. WA8 50 E3
House La. WA8 51 A6
Hurst St. WA8 51 B8
Hutchinson St. WA8 51 A7
INDUSTRIAL & RETAIL:
Ashley Retail Pk. WA8 51 D5
Bowers Pk Ind Est. WA8 51 D5
Foundry Ind Est. WA8 51 C5
Tan House La Ind Est. WA8 51 F5
West Bank Ind Est. WA8 51 A7
Ingham Rd. WA8 50 B1
Ireland St. WA8 50 E3
Irene Clo. WA8 50 D1
Irwell St. WA8 51 B8
James Clo. WA8 51 B8
Johnsons La. WA8 50 F4
Joseph St. WA8 50 D3
Julian Way. WA8 50 A1
Keats Clo. WA8 51 A5
Keble St. WA8 51 C5
Kent St. WA8 50 C4
Kilsby Dri. WA8 50 F3
Kingham Clo. WA8 50 F4
Kingsway. WA8 50 B4
Kipling Cres. WA8 50 A4
Kirkham Rd. WA8 50 D3
Knowles St. WA8 50 D3
Lacey St. WA8 51 C6
Lacey St. WA8 51 B6
*Lambert Ct, Brynn St. WA8 51 C5
Lancaster Rd. WA8 50 C2
Larch Av. WA8 50 C3
*Latham St, William St. WA8 50 D3
Laurel Bank. WA8 50 B2
Leigh Av. WA8 50 B4
Lessingham Rd. WA8 50 B1
Lewis Cres. WA8 51 B5
Liebig St. WA8 51 C5
Lilac Av. WA8 50 C3
Lincoln Sq. WA8 50 C2
Linden Clo. WA8 50 B1
Linden Way. WA8 50 B1
Littlestone Clo. WA8 50 B1
Liverpool Rd. WA8 50 A4
Lockett Rd. WA8 50 B4
Lofthouse Gate. WA8 50 A1
Lower Church St. WA8 51 B7
Lower House La. WA8 50 B4
Lower Mersey Rd. WA8 51 B7
Lugsdale Rd. WA8 51 C5
Luton St. WA8 51 B6
Lytham Rd. WA8 50 D2
McClellan Pl. WA8 50 E4
Macdermott Rd. WA8 51 A7
Major Cross St. WA8 50 E3
Maple Av. WA8 50 C3
Marcien Way. WA8 50 A2
Market St. WA8 51 B5
Marlowe Clo. WA8 50 A4
Marsh Hall Rd. WA8 50 D1
Marsh St. WA8 51 B7
Mary St. WA8 51 F5
Masefield Av. WA8 51 A5
Mason Av. WA8 50 C1
Mathieson Rd. WA8 51 A7
Melville Clo. WA8 50 F3
Mersey Rd. WA8 51 B8
Mersham Ct. WA8 50 A1
Midland St. WA8 50 E3
Midwood St. WA8 51 C5
Mill Brow. WA8 50 D3
Millar Cres. WA8 51 B5
Millfield Rd. WA8 50 B4
Millington Clo. WA8 50 A4

Milton Av. WA8 51 A5
Milton Rd. WA8 51 B5
Milton St. WA8 51 B7
Miners Way. WA8 51 C6
Mond Rd. WA8 50 B4
Moor La. WA8 51 A6
Moore Clo. WA8 50 F3
Moorfield Rd. WA8 50 F2
Moorside Ter. WA8 51 B5
Moss Bank Rd. WA8 51 E5
Moss St. WA8 51 E5
Mottershead Clo. WA8 51 B5
Mottershead Rd. WA8 50 B4
Mount Pleasant. WA8 50 D3
Mount St. WA8 50 D3
Naughton Rd. WA8 51 B5
Naylor Rd. WA8 50 E4
Neil St. WA8 50 D3
Nelson St. WA8 51 B7
New Barnet. WA8 50 A1
New St. WA8 50 C4
Newbury Clo. WA8 50 B1
Newington Way. WA8 50 A2
Norbury Clo. WA8 50 F3
Norland St. WA8 50 E3
Nursery Clo. WA8 50 F2
Oakland St. WA8 51 B8
Old Market Ct. WA8 51 C6
Ollier St. WA8 51 B6
Orkney Clo. WA8 50 F2
Oxborough Clo. WA8 50 A1
Oxford St. WA8 51 C5
Page La. WA8 50 D4
Park Av. WA8 50 C3
Park Rd. WA8 50 C3
Parr St. WA8 50 D3
Parsonage Rd. WA8 51 B8
Peel House La. WA8 50 C2
Pine Av. WA8 50 D3
Pit La. WA8 50 B1
Pitt St. WA8 51 B7
Pool St. WA8 51 C5
Prestbury Clo. WA8 51 A5
Princes St. WA8 50 C4
Proctors Clo. WA8 50 E3
Queensway. WA8 51 A6
Quinn St. WA8 51 C5
Raby Clo. WA8 50 F3
Ramsey Clo. WA8 50 F2
Rathlin Clo. WA8 50 F2
Rawcliffe Clo. WA8 50 B1
Reay St. WA8 50 D3
Regent Rd. WA8 50 C4
Rhyl St. WA8 51 B6
Richmond St. WA8 50 D3
Robert St. WA8 50 D4
Romney Clo. WA8 50 F2
Rose Cres. WA8 51 B5
Rose St. WA8 51 B5
Rose Vw Av. WA8 50 B3
Ross St. WA8 50 C4
Rossall Rd. WA8 50 F3
Routledge St. WA8 50 D4
Rushton Clo. WA8 50 A1
Russell St. WA8 50 C1
Ryder Rd. WA8 50 C1
Rylands St. WA8 50 C4
Sadler St. WA8 50 D4
St Ambrose Rd. WA8 50 D3
St Annes Rd. WA8 50 D3
St Lukes Cres. WA8 50 D4
St Marys Rd. WA8 51 B8
St Pauls Rd. WA8 51 B5
Salisbury St. WA8 50 C4
Sandon Pl. WA8 50 F3
Sandringham Rd. WA8 50 B1
Sankey St. WA8 51 B7
Saxon Ter. WA8 50 C4
Sayce St. WA8 50 C4
School Way. WA8 50 F2
Scott Av. WA8 50 A4
Sefton Av. WA8 50 C1
Selwyn Clo. WA8 50 F2
Shakespeare Rd. WA8 50 B3
Sharp St. WA8 51 C5
*Shawell Ct, Swinford Av WA8 50 F2
Shelagh Av. WA8 50 C4
Shelley Rd. WA8 50 B3
Shetland Clo. WA8 50 F2
Sinclair Av. WA8 51 B5
Smith Rd. WA8 51 A5
Smyth Rd. WA8 50 E3

South La. WA8 50 F2
*South St, Salisbury St. WA8 50 C4
Southey Clo. WA8 51 A5
Speke Rd. WA8 51 A6
Spencer Clo. WA8 50 A4
Spring St. WA8 51 B6
Squires Av. WA8 50 B4
Stanley Clo. WA8 50 B4
Station Rd. WA8 50 E1
Stewards Av. WA8 50 A4
Susan St. WA8 50 D3
Sussex St. WA8 50 E3
Suttons La. WA8 51 C6
Swinford Av. WA8 50 F3
Sycamore Av. WA8 50 C4
Tan House La. WA8 51 E5
Taylor St. WA8 50 D3
Tennyson Rd. WA8 50 B3
Tern Clo. WA8 50 D1
Terrace Rd. WA8 51 B6
Thomas St. WA8 51 B6
Timmis Cres. WA8 50 B4
*Timperley St, Gerrard St. WA8 51 C5
Toft Clo. WA8 50 A4
Towneley Ct. WA8 50 B4
Trafalgar Ct. WA8 51 B7
Travis St. WA8 50 E4
Trentham Clo. WA8 50 C1
*Trinity Pl, Cambridge St. WA8 51 C5
Tuson Dri. WA8 50 B1
Upton Bridle Path. WA8 50 A1
Upton La. WA8 50 A1
Vicarage Rd. WA8 51 B5
Vickers Rd. WA8 51 A8
Victoria Av. WA8 50 B2
Victoria Gro. WA8 50 B2
Victoria Rd. WA8 51 B6
Victoria St. WA8 51 C5
Vine St. WA8 51 C5
Violet St. WA8 50 C4
Wallace St. WA8 50 D4
Wallsend Ct. WA8 50 A2
Walmsley St. WA8 50 E4
Walter St. WA8 50 E3
Warrington Rd. WA8 51 D5
Water St. WA8 51 B7
Waterloo Rd. WA8 51 B7
Watkinson Way. WA8 50 E1
Wavertree Av. WA8 50 B4
Weates Clo. WA8 50 F3
Wedgewood Dri. WA8 50 C1
Wellfield. WA8 50 C2
Wellington St. WA8 51 B7
West Bank St. WA8 51 B7
Westerhope Way. WA8 50 A2
Westmorland Av. WA8 50 C3
Whalley Gro. WA8 50 E2
Whickham Clo. WA8 50 A2
White St. WA8 51 B8
Whitstable Pk. WA8 50 A1
Widnes Rd. WA8 51 C5
Wilkinson Clo. WA8 51 B8
*William St, Larch Av. WA8 50 D3
Willow Av, Larch Av. WA8 50 D3
Wilson Clo. WA8 50 F3
Windermere Av. WA8 50 D1
Windermere Clo. WA8 50 C1
Windsor Rd. WA8 50 B1
Winfield Way. WA8 50 D4
Witt Rd. WA8 51 B6
Wood St. WA8 50 A4
Woodland Av. WA8 50 A3
Wordsworth Av. WA8 51 A5
Wright Clo. WA8 51 B8
Wright Cres. WA8 51 B8

WILMSLOW

Acacia Av. SK9 52 C4
Adlington Rd. SK9 53 G4
Albany St. SK9 52 B5
Albert Rd. SK9 52 D4
Alderdale Gro. SK9 52 B5
Alderley Lodge. SK9 52 D4
Alderley Rd. SK9 52 D5

Alma La. SK9 52 C3
Alton Rd. SK9 52 C2
Altrincham Rd. SK9 52 A1
Alvaston Dri. SK9 53 F2
Anson Rd. SK9 53 H1
Arlington Cres. SK9 52 A5
Arlington Way. SK9 52 B5
Ashberry Clo. SK9 53 G2
Ashcroft Clo. SK9 52 C5
Ashdene Rd. SK9 52 C5
Ashford Rd. SK9 52 C6
Ashley Rd. SK9 52 D1
Avondale Way. SK9 53 F4
Balmoral Way. SK9 52 D4
*Bank Sq,
  Swan St. SK9 53 E3
Barford Dri. SK9 53 F1
Barlow Rd. SK9 52 D1
Beaufort Chase. SK9 53 H1
Beddells La. SK9 52 D4
Beech Gro. SK9 52 C3
Beech La. SK9 52 C4
Beechfield Av. SK9 52 B5
Beechway. SK9 52 C4
Beechwood Dri. SK9 53 G2
Belfry Clo. SK9 53 G2
Berry Clo. SK9 52 D5
Birch Av. SK9 52 C4
Birchwood Dri. SK9 53 G2
Blenheim Clo. SK9 53 G3
Bluebell Way. SK9 53 E1
Bolleyn Wood Ct. SK9 53 E1
Bollin Ct. SK9 53 F3
Bollin Hill. SK9 53 D2
Bollin Wk. SK9 53 E3
Bollinwood Chase.
  SK9 53 F3
Booth Rd. SK9 52 D1
Bourne St. SK9 52 C4
Brackenwood Mws.
  SK9 53 G1
Bramley Clo. SK9 52 A5
Briarwood. SK9 53 F3
Brick La. SK9 52 B4
Bridgefield Av. SK9 53 E1
Broad Wk. SK9 52 B2
Broadway. SK9 53 E4
Broomfield Clo. SK9 53 G2
Browns La. SK9 53 G2
Buckingham Rd. SK9 52 C4
Budworth Walk. SK9 53 H1
Burford Clo. SK9 52 B5
Burford Cres. SK9 52 A5
Burnside Clo. SK9 53 E4
Calverley Clo. SK9 53 F2
Cambridge Av. SK9 52 C3
Capesthorne Rd. SK9 52 B5
Carnoustie Clo. SK9 53 F2
Carrs Ct. SK9 52 D2
Carrwood Rd. SK9 52 C2
Cavendish Mws. SK9 52 D4
Cedar Way. SK9 52 C5
Chadwick Clo. SK9 53 F1
Chancel La. SK9 53 E2
Chapel Ct. SK9 52 C4
Chapel La. SK9 52 C4
Chatsworth Rd. SK9 52 A6
Cherrytree Clo. SK9 53 G2
Chesham Clo. SK9 52 C6
Chesham Rd. SK9 52 B6
Chestnut Clo. SK9 53 G1
Church Rd. SK9 52 B6
Church St. SK9 53 E3
Church Wk. SK9 52 C4
Clarence Ct. SK9 52 D4
Cliff Rd. SK9 53 E2
Clifford Rd. SK9 52 C4
Cliffside. SK9 53 E2
Clifton Dri. SK9 52 B6
Cobbetts Way. SK9 52 C6
College Dri. SK9 52 B2
Colshaw Dri. SK9 53 G1
Colshaw Wk. SK9 53 F1
Connaught Clo. SK9 53 F2
Constable Dri. SK9 53 G2
Copperfields. SK9 53 E2
Corner Croft. SK9 52 C5
Cornwell Clo. SK9 53 G2
Cottage Gro. SK9 53 B5
Covington Pl. SK9 53 E4
Cow La. SK9 53 F2
Cragside Way. SK9 53 E4
Cranford Rd. SK9 52 D1
Croft Rd. SK9 52 B5

Crofters Grn. SK9 52 B4
Croftside Way. SK9 53 E4
Cross La. SK9 53 H2
*Crowbrook Gro,
  Wheelock Clo. SK9 53 G1
Cumber Clo. SK9 52 A6
Cumber Dri. SK9 52 A5
Cumber La. SK9 52 A5
Curzon Mws. SK9 52 D4
Dane Dri. SK9 53 F4
Daresbury Clo. SK9 52 C3
Davenhall Av. SK9 52 C3
Davenport Av. SK9 52 A6
Daveylands. SK9 52 F3
Dean Dri. SK9 53 F1
Dean Row Rd. SK9 53 F1
Deanway. SK9 53 E1
Denewood Ct. SK9 52 D4
*Dinglebrook Gro
  Malpas Clo. SK9 53 G1
Donkey La. SK9 52 C5
Dorchester Clo. SK9 53 F2
Draxford Clo. SK9 53 E4
Drayton Clo. SK9 53 F1
Eastward Av. SK9 52 C4
Eden Clo. SK9 52 B5
Edgehill Chase. SK9 53 G3
Edgeway. SK9 53 D5
Egerton Rd. SK9 53 D1
Elderberry Way. SK9 53 H2
Elton Clo. SK9 53 G1
Fairbourne Av. SK9 52 B6
Fairbourne Clo. SK9 52 C6
Fairbourne Dri. SK9 52 B6
Fairfax Dri. SK9 52 C6
Fairford Way. SK9 53 F2
Fairlawn Clo. SK9 53 G1
Fawns Keep. SK9 53 G3
Fernwood Clo. SK9 53 F2
Fieldhead Mws. SK9 53 G2
Fieldhead Rd. SK9 53 G2
Fletsand Rd. SK9 53 F4
Friars Clo. SK9 52 B2
Fulmards Clo. SK9 53 E3
Fulshaw Clo. SK9 52 C4
Fulshaw Ct. SK9 52 C4
Fulshaw Park. SK9 52 C5
Fulshaw Park Sth. SK9 52 C5
Gable Av. SK9 52 C3
Gainsborough Clo.
  SK9 53 G2
Garth Heights. SK9 53 F3
Gatcombe Mws. SK9 52 D3
Gladewood Clo. SK9 53 F2
Gleneagles Clo. SK9 53 F2
Glenside Dri. SK9 53 E4
Goostrey Clo. SK9 53 G1
Gorsefield Hey. SK9 53 G2
Gorsey Rd. SK9 52 B3
Grange Pk Av. SK9 52 D1
Granville Rd. SK9 52 B5
Gravel La. SK9 52 B6
Greaves Rd. SK9 52 B2
Green La. SK9 53 D3
Green Villa Pk. SK9 52 A6
Greenhall Mws. SK9 52 D4
Greenway. SK9 52 D4
Greenwood Dri. SK9 53 F2
Grosvenor Clo. SK9 52 C6
Grove Av. SK9 52 D3
Grove St. SK9 52 D3
Grove Way. SK9 52 D3
Half Acre Grn. SK9 53 E2
Hall Rd. SK9 52 D3
Halstone Av. SK9 52 B5
Handforth Rd. SK9 53 H1
Harefield Dri. SK9 52 D5
Harrow Clo. SK9 53 F2
Hartford Av. SK9 52 B4
Hawthorn Av. SK9 52 C3
Hawthorn Gro. SK9 52 D3
Hawthorn La. SK9 52 D3
Hawthorn Pk. SK9 52 D3
Hawthorn St. SK9 52 C4
Hawthorn Ter. SK9 52 C4
Hawthorn Vw. SK9 52 D3
Hawthorn Wk. SK9 52 C3
Hazelwood Rd. SK9 53 F2
Heatherfield Ct. SK9 53 G2
Heathfield. SK9 52 C5
Hendon Clo. SK9 53 F1
Herald Ct. SK9 52 D3
Heyes La. SK9 53 F6
Highfield Cres. SK9 53 E3

Highfield Est. SK9 53 F1
Highgrove Mws. SK9 52 D4
Hill Top Av. SK9 53 E2
Hollies La. SK9 53 H3
Holly Bank Rd. SK9 52 D1
Holly Rd North. SK9 52 D4
Holly Rd South. SK9 52 D5
Holmeswood Clo. SK9 53 F2
Hough La. SK9 53 G4
Howty Clo. SK9 53 F1
Hunters Clo. SK9 53 H1
Hunters Mws. SK9 53 F3
Huntly Chase. SK9 53 F3
INDUSTRIAL & RETAIL:
  Riverside Pk. SK9 53 E2
Kennerleys La. SK9 52 D3
Kensington Ct. SK9 52 D3
Kings Clo. SK9 52 D3
Kings Rd. SK9 52 B2
Knightsbridge Clo. SK9 53 F1
Knightsbridge Dri. SK9 53 F2
Knutsford Rd. SK9 52 B6
Lacey Clo. SK9 53 E1
Lacey Clo. SK9 53 E1
Lacey Ct. SK9 53 E1
Lacey Grn. SK9 53 E2
Lacey Gro. SK9 53 E1
Ladyfield St. SK9 53 E3
Ladyfield Ter. SK9 53 E3
Lancaster Rd. SK9 53 G1
Lancelyn Dri. SK9 53 G2
Land La. SK9 53 G1
Larchwood Dri. SK9 53 G2
Leaside Way. SK9 53 E4
Leigh Rd. SK9 52 A5
Lincoln Rd. SK9 53 G1
Lindfield Estate Nth.
  SK9 52 C3
Lindfield Estate Sth.
  SK9 52 C3
Lindow Fold Dri. SK9 52 A5
Lindow La. SK9 52 A3
Lindow Par. SK9 52 C4
Links Rd. SK9 52 B6
Longmeade Gdns.
  SK9 53 E3
Lyme Av. SK9 52 D1
Lymewood Dri. SK9 53 G2
Lyndhurst Clo. SK9 52 A5
Lynguard Clo. SK9 53 G1
Macclesfield Rd. SK9 53 E3
Mainwairing Dri. SK9 53 F2
Malpas Clo. SK9 53 G1
Manchester Rd. SK9 53 E3
Manor Clo. SK9 52 B2
Manor Gdns. SK9 53 G3
Manor Rd. SK9 52 B2
Maplewood Rd. SK9 53 G2
Marbury Rd. SK9 52 D1
Mayfield Gro. SK9 52 B5
Meadow Clo. SK9 52 B6
Meadow Way. SK9 52 B6
Mill Rd. SK9 53 E3
Mill St. SK9 53 E3
Millbrook Gro. SK9 53 F1
Mobberley Rd. SK9 52 A1
Moor La. SK9 52 A5
Moor Way. SK9 52 A5
Moorfield Dri. SK9 52 A5
Mosswood Rd. SK9 53 H1
Mount Pleasant. SK9 52 C4
Muirfield Clo. SK9 53 G2
Nans Moss La. SK9 52 A1
New St. SK9 52 B5
Newgate. SK9 52 A3
Newlands Dri. SK9 52 B5
Newton Rd. SK9 52 D1
Nightingale Clo. SK9 53 E1
Northfield Dri. SK9 53 G2
Northward Rd. SK9 52 C4
Nursery La. SK9 52 C4
Oak Av. SK9 52 C5
Oak Clo. SK9 52 B4
Oak La. SK9 52 B4
Oak Lea Av. SK9 52 C5
Oak Mews. SK9 53 E3
Oakdean Ct. SK9 53 F4
Oaklands Clo. SK9 53 H1
Oakwood Av. SK9 52 B4
Old Orchard. SK9 52 D3
Old Rd. SK9 53 E2
One Oak La. SK9 53 H3
Orchard Clo. SK9 52 C5
Osborne Clo. SK9 53 F4

Osprey Dri. SK9 53 E2
Overhill Dri. SK9 53 G2
Overhill La. SK9 53 G3
Overhill Rd. SK9 53 G3
Park Av. SK9 53 E2
Park Cres. SK9 52 E1
Park Rd. SK9 52 C3
Parkway. SK9 53 E2
Parsonage Grn. SK9 53 E3
Paxford Pl. SK9 52 D5
Picton Dri. SK9 53 G1
Pinewood Rd. SK9 53 G2
Poplar Av. SK9 52 C5
Pownall Ct. SK9 52 B2
Pownall Rd. SK9 52 C2
Prescott Rd. SK9 53 E1
Prestbury Rd. SK9 53 E4
Princess Rd. SK9 52 C5
Priory Rd. SK9 53 E3
Queen Ann Ct. SK9 53 E4
Queens Rd. SK9 52 D4
Queensbury Clo. SK9 53 F1
Racecourse Pk. SK9 52 B4
Racecourse Rd. SK9 52 B3
*Rainow Way,
  Malpas Clo. SK9 53 G1
Ravenswood Rd. SK9 52 B6
Redbrook Gro. SK9 53 F1
Regent Bank. SK9 52 C5
Regent Clo. SK9 52 C5
Reynolds Mws. SK9 53 G2
Ridgeway. SK9 53 H3
Ringstead Clo. SK9 53 F1
Ringstead Dri. SK9 53 F1
River St. SK9 53 E2
Riverside Wk. SK9 53 F3
Rodeheath Clo. SK9 53 F3
Rossenclough Rd. SK9 53 F1
Rostherne Rd. SK9 52 C5
Rowanside Dri. SK9 53 G2
St James Dri. SK9 52 D4
St Johns Rd. SK9 52 B6
*Salterbrook Gro,
  Malpas Clo. SK9 53 G1
Sandhurst Dri. SK9 53 F2
Sandown Clo. SK9 53 F2
Sandringham Way.
  SK9 52 D4
Sandy La. SK9 52 A2
Sedgeford Clo. SK9 53 F1
Shargate Clo. SK9 53 F1
Shenhurst Clo. SK9 52 B5
Sherbrook Rise. SK9 52 B5
Shrigley Clo. SK9 53 F1
Silverdale Dri. SK9 52 C6
Simpson St. SK9 52 C4
Smiths Lawn. SK9 52 D5
South Clo. SK9 52 C4
South Oak La. SK9 52 C4
Spring St. SK9 52 D3
Springfield Dri. SK9 52 A5
Stamford Rd. SK9 52 D1
Stanhope Clo. SK9 53 G2
Station Rd. SK9 53 E3
Stockton Rd. SK9 52 C6
Stoney La. SK9 52 C5
Strawberry La. SK9 52 B4
Styal Rd. SK9 52 C1
Suffolk Clo. SK9 53 E1
Summerfield Pl. SK9 52 D4
Sunnybank Dri. SK9 53 E3
Swan St. SK9 53 E3
Swinley Chase. SK9 52 B5
Sylvan Av. SK9 52 B5
The Circuit. SK9 52 A5
The Coppins. SK9 52 A6
The Lawns. SK9 52 A6
The Meade. SK9 52 A6
The Ridings. SK9 52 A6
The Stablings. SK9 52 D5
Thistlewood Dri. SK9 53 G2
Thoresway Rd. SK9 52 B5
Thornfield Hey. SK9 53 G2
Thorngrove Dri. SK9 53 E4
Thorngrove Hill. SK9 53 E4
Thorngrove Rd. SK9 53 F4
Torkington Rd. SK9 53 F4
Trafford Rd. SK9 52 D1
Tudor Grn. SK9 53 G1
Tudor Rd. SK9 53 G1
Turnberry Dri. SK9 53 F2
Twinnies Ct. SK9 53 E1
Twinnies Rd. SK9 52 D1
Upcast La. SK9 52 A6

Vale Rd. SK9 52 B1
Vardon Dri. SK9 53 F3
Victoria Rd. SK9 52 D4
Village Way. SK9 53 F1
Wallworth Ter. SK9 52 A2
Walnut Clo. SK9 53 G2
Wareham St. SK9 53 E3
Warren Hey. SK9 53 G2
Water La. SK9 52 D3
Welford Clo. SK9 53 G2
Welton Clo. SK9 52 B6
Welton Dri. SK9 52 B6
Welton Gro. SK9 52 B6
Westbourne Dri. SK9 53 F1
Westgate. SK9 52 C5
Westminster Dri. SK9 52 D5
Weston Rd. SK9 53 G4
Westward Rd. SK9 52 C3
Wheelock Clo. SK9 53 G1
Whitehall Clo. SK9 52 D5
Wilcott Dri. SK9 52 C6
Wilmslow Way. SK9 53 E3
Wilmslow Pk Nth. SK9 53 F3
Wilmslow Pk Sth. SK9 53 E3
Winchester Clo. SK9 52 B5
Windsor Av. SK9 52 C3
Wingfield Av. SK9 52 B4
Wingfield Dri. SK9 52 B4
Wolverton Dri. SK9 53 F1
Woodacres Ct. SK9 52 B4
Woodcote Vw. SK9 53 H1
Woodlands Rd. SK9 52 B1
Wycliffe Av. SK9 52 D3
Yew Tree Clo. SK9 53 F3
York Cres. SK9 53 F2

WINSFORD

Abbey Clo. CW7 54 C6
Abbotts Way. CW7 54 A2
Acorn Clo. CW7 55 F3
Aire Pl. CW7 55 G3
Alamein Dri. CW7 54 D4
Aldford Way. CW7 54 B2
Alexandra Sq. CW7 54 A4
Alexandra St. CW7 54 C3
Alt Wk. CW7 55 G2
Alundale Rd. CW7 54 B1
Ambleside Clo. CW7 54 A2
Arkwright Clo. CW7 54 A4
Arnside Clo. CW7 54 C2
Ashgrove. CW7 54 C4
Aston Av. CW7 54 B2
Austin Clo. CW7 54 C6
Avocet Dri. CW7 54 D6
Avon Wk. CW7 55 G2
Badgers Clo. CW7 54 A3
Bakers Ct. CW7 54 D2
Bakers La. CW7 55 E3
Balmoral Clo. CW7 54 C1
Barnbrook Clo. CW7 54 A3
Barnton Ct. CW7 55 E3
Basford Way. CW7 54 B2
Beagle Point. CW7 54 A3
Beaulieu Av. CW7 55 F2
Beckenham Gro. CW7 54 A3
Bedford Rise. CW7 54 C6
Beech Gro. CW7 54 D4
Beechfields. CW7 55 G3
Beeston Dri. CW7 54 C4
Bentley Gro. CW7 54 C6
Berkerley Rise. CW7 54 A3
Bexton Av. CW7 54 A2
Birch Av. CW7 55 G3
Birkdale Gdns. CW7 54 A2
Blenheim Gdns. CW7 54 C5
Blythe Pl. CW7 55 G2
Bollin Av. CW7 55 G2
Bollin Clo. CW7 55 G2
Bowland Rise. CW7 54 B4
Bowmere Dri. CW7 54 C3
Bowness Av. CW7 54 C2
Brackenfield Way.
  CW7 54 A3
Bradbury Rd. CW7 55 G2
Bradford Rd. CW7 54 D2
Bramble Clo. CW7 54 A3
Bramhall Clo. CW7 54 B3
Brecon Way. CW7 54 B4
Bridgewater Pl. CW7 54 A3
Brindley Av. CW7 54 B2
Brockwell Clo. CW7 54 A4

Browning Way. CW7 54 A4
Brunner Pl. CW7 54 A4
Buckingham Dri. CW7 54 C5
Burland Gro. CW7 54 A2
Buttermere Rd. CW7 54 C2
Byley Way. CW7 54 B3
Caerleon Clo. CW7 54 A4
Caernarvon Av. CW7 54 B5
Caister Way. CW7 54 B5
Caldicott Clo. CW7 54 C5
Caldy Way. CW7 54 B3
Calveley Way. CW7 54 A3
Cambrian Way. CW7 54 B4
Cambridge Av. CW7 54 A3
Carden Av. CW7 54 B3
Carisbrook Dri. CW7 54 B5
Carlisle Clo. CW7 54 A3
Carmarthen Clo. CW7 54 C5
Cartmel Clo. CW7 54 A2
Cavendish Clo. CW7 54 A4
Cedar Gro. CW7 55 F3
Chaffinch Way. CW7 54 D6
Chapel Rd. CW7 55 F2
Chepstow Clo. CW7 54 C5
Cherry Cres. CW7 54 C4
Chester Rd. CW7 54 A2
Chestnut Gro. CW7 54 C4
Cheviot Ct. CW7 54 B4
Chilham Clo. CW7 54 B5
Chiltern Way. CW7 54 B5
Chirk Pl. CW7 54 A3
Church St. CW7 55 E3
Churchill Parkway.
  CW7 54 D4
Clare Pl. CW7 54 B5
Cleveland Way. CW7 54 B5
Clifford Pl. CW7 54 C3
Clive Back La. CW7 55 H4
Clive Green La. CW7 55 H4
Clive La. CW7 55 H4
Clough Rd. CW7 54 D3
Clover Dri. CW7 54 C1
Clyde Cres. CW7 55 G3
Collingham Way.
  CW7 54 D3
Commonwealth Clo.
  CW7 54 C6
Coniston Av. CW7 54 C2
Conway Av. CW7 54 B4
Corfe Way. CW7 54 B5
Coronation Av. CW7 54 D2
Cotswold Way. CW7 54 A5
Covert Clo. CW7 54 A4
Cow La. CW7 55 E4
Crook La. CW7 55 F2
Crossfield Av. CW7 54 C5
Curzon St. CW7 55 E3
Dalmahoy Clo. CW7 54 C2
Dane Pl. CW7 55 G3
Darnhall School La.
  CW7 54 C6
Dart Wk. CW7 55 G2
Dean St. CW7 54 C3
Dee Sq. CW7 55 G2
Dee Way. CW7 55 G2
Delamere Rise. CW7 54 B3
Delamere St. CW7 54 A2
Denbigh Dri. CW7 54 B5
Dene Dri. CW7 54 D5
Denton Clo. CW7 54 B3
Derwent Av. CW7 55 G3

Dierden St. CW7 55 G3
Dingle La. CW7 54 D3
Dingle Wk. CW7 54 D3
Dove Pl. CW7 55 G2
Dover Dri. CW7 54 B5
Dunkirk Av. CW7 54 D4
Durham Dri. CW7 54 B5
East Dudley St. CW7 55 F2
Eden Av. CW7 55 F2
Elm Gro. CW7 55 G3
Elmwood Gro. CW7 55 F4
Ennerdale Clo. CW7 54 C1
Esk Rd. CW7 55 F1
Eskdale Clo. CW7 54 C1
Falcon Clo. CW7 54 C6
Farriers Way. CW7 54 A3
Fernbank Clo. CW7 55 G3
Fernleigh Clo. CW7 54 A3
Fieldfare Clo. CW7 55 F3
Finsbury Wk. CW7 54 B2
Ford Ct. CW7 54 C6
Forest Rd. CW7 54 A4
Fountain Clo. CW7 54 D3
Foxfield La. CW7 54 A3
Furness Clo. CW7 54 B4
Geneva Rd. CW7 54 C3
George St. CW7 55 E3
Gladstone St. CW7 54 D5
Glebe Green Dri. CW7 54 C6
Gleneagles Dri. CW7 54 C2
Gowy Wk. CW7 55 G1
Grampian Way. CW7 54 A4
Grange La. CW7 54 B1
Grangebrook Dri. CW7 54 B1
Grasmere Clo. CW7 54 D2
Granville Sq. CW7 54 D4
Granville St. CW7 54 D4
Greenfields. CW7 55 G3
Greville Dri. CW7 55 F3
Grosvenor Ct. CW7 54 C5
Grosvenor St. CW7 54 D4
Grove Clo. CW7 54 B4
Hambleton Way. CW7 54 A5
Hampstead Ct. CW7 54 A4
Handley Hill. CW7 54 B4
Hanover Dri. CW7 54 C6
Harewood Clo. CW7 54 A3
Haweswater Dri. CW7 54 C2
Hawkshead Way. CW7 54 C2
Hawthorn Clo. CW7 54 C4
Hawthorn Gro. CW7 55 G3
Hazel Dri. CW7 54 C4
Heaton Sq. CW7 54 C4
Henley Dri. CW7 55 F3
Heron Clo. CW7 54 D6
High St. CW7 54 C3
Hill St. CW7 54 C3
Hill Top Av. CW7 54 B3
Holly Dri. CW7 54 C4
Hunters Rise. CW7 54 B3
INDUSTRIAL & RETAIL:
Donefields Ind Est.
  CW7 55 F2
Pineapple Pk. CW7 55 G2
Winsford
  Ind Est. CW7 55 H1
Ion Path. CW7 55 H3
John St. CW7 54 C3
Joyce Av. CW7 54 C2
Jubilee Way. CW7 54 D3
Kensington Ct. CW7 54 C5

Kentmere Av. CW7 54 C2
Kents Ash. CW7 54 C5
Keswick Clo. CW7 54 C1
Kingfisher Dri. CW7 54 D6
Kingsley Wk. CW7 54 B2
Kingsway. CW7 55 E3
Kintore Clo. CW7 55 F1
Knights Mdw. CW7 54 C1
Lagos Gro. CW7 54 D2
Lancaster Clo. CW7 54 C6
Langdale Clo. CW7 54 C2
Latham St. CW7 54 C3
Launceston Clo. CW7 54 B5
Laurel Bank. CW7 54 C4
Leaf La. CW7 55 F2
Ledward St. CW7 55 F2
Leslie Rd. CW7 54 A5
Leven Av. CW7 55 E2
Leyland Wk. CW7 54 C6
Lichfield Clo. CW7 54 D5
Lime Gro. CW7 55 F2
Linnet Clo. CW7 55 G3
Littler Grange Ct. CW7 54 A3
Littler La. CW7 54 A3
Llandovery Clo. CW7 54 B5
Lodge Dri. CW7 55 F3
Long Mynd Rise. CW7 54 B4
Lower Haigh St. CW7 54 C4
Ludlow Clo. CW7 54 B5
Lulworth Clo. CW7 54 B5
Mallard Way. CW7 54 D6
Malvern Way. CW7 54 A4
Manor Sq. CW7 54 A4
Maple Ct. CW7 55 F1
Maple Gro. CW7 55 F2
Market Pl. CW7 55 E3
Marlborough Av. CW7 54 C1
Massey Av. CW7 55 E3
Meadow Clo. CW7 54 C1
Meadow Rise. CW7 54 A3
Medina Av. CW7 55 E2
Mendip Clo. CW7 54 B4
Merlin Clo. CW7 55 F3
Mersey Pl. CW7 55 H3
Middlewich Rd. CW7 55 H1
Minster Clo. CW7 54 C6
Montgomery Way.
  CW7 54 B5
Moss Bank. CW7 54 B3
Mount Pleasant Dri.
  CW7 54 A4
Muirfield Dri. CW7 54 C2
Nat La. CW7 55 F1
New Rd. CW7 55 E2
Newall Cres. CW7 55 F3
Newbury Av. CW7 54 A4
Nightingale La. CW7 54 C6
Nixon Dri. CW7 54 A2
Norman Dri. CW7 54 C6
Normandy Av. CW7 54 D4
Nun House Clo. CW7 55 G2
Nun House Dri. CW7 55 G3
Nunsmere Clo. CW7 55 H3
Oak Av. CW7 54 C5
Oak House La. CW7 54 B4
Oakmere Rd. CW7 54 A4
Orchard Clo. CW7 54 C5
Otters Bank. CW7 54 A3
Over Hall Dri. CW7 54 C5
Overdene Rd. CW7 54 C4
Overway. CW7 54 D2

Park Av. CW7 55 F1
Peacock Av. CW7 54 C6
Pear Tree Clo. CW7 54 C5
Pembroke Way. CW7 54 B5
Pennine Way. CW7 54 B4
Pentland Clo. CW7 54 B4
Picton Dri. CW7 54 A2
Pine Gro. CW7 55 F3
Pintail Clo. CW7 54 D6
Pipers Ash. CW7 54 A3
Plantagenet Clo. CW7 54 C6
Pochard Av. CW7 54 D6
Poole St. CW7 55 E3
Poplar Clo. CW7 54 A4
Portman Pl. CW7 54 A3
Prestwick Clo. CW7 54 C2
Princess St. CW7 55 F2
Priory Clo. CW7 54 C1
Pulford Rd. CW7 54 B3
Quantock Clo. CW7 54 A5
Queens Ct. CW7 54 D3
Queens Par. CW7 54 D3
Queensway. CW7 54 C4
Redstone Dri. CW7 54 A3
Regency Ct. CW7 54 C5
Regents Way. CW7 54 A4
Ribble Av. CW7 55 G3
Ribble Pl. CW7 55 G3
Rilshaw La. CW7 55 F4
River Vw. CW7 55 E2
Road Five. CW7 55 H2
Road Four. CW7 55 G2
Road One. CW7 55 G1
Road Three. CW7 55 H3
Road Two. CW7 55 G2
Roehurst La. CW7 54 C2
Rookery Rise. CW7 55 F3
Rose Bank Clo. CW7 55 F3
Rosewood Dri. CW7 54 A3
Rowan Clo. CW7 54 C1
Royle St. CW7 55 E3
Russell Rd. CW7 54 C1
Rydal Clo. CW7 54 C1
Sadler Clo. CW7 54 D3
Sadler Rd. CW7 54 D3
St Georges Rd. CW7 54 C4
*St James Ter,
  Cavendish Clo. CW7 54 A4
St Johns Dri. CW7 54 A4
St Johns Gdns. CW7 54 A4
Sandringham Clo.
  CW7 54 C1
Sandyhill Pl. CW7 54 C5
Sandyhill Rd. CW7 54 C5
Saxon Crossway. CW7 54 B3
School La. CW7 54 C6
School Rd. CW7 55 F2
Severn Wk. CW7 55 F1
Shaws La. CW7 55 F1
Shepherds Fold Dri.
  CW7 54 C1
Siddorn St. CW7 54 D3
Snowdonia Way. CW7 54 B4
Southwark Pl. CW7 54 A4
Spey Clo. CW7 55 F2
Spinney Clo. CW7 55 F4
Springbank Cres. CW7 54 A5
Station Rd. CW7 55 E3
Staveley Dri. CW7 54 C2
Stephenson Wk. CW7 54 A4
Stirling Clo. CW7 55 F1

Stocks Hill. CW7 55 E4
Stuart Clo. CW7 54 C6
Sunningdale Clo. CW7 54 A2
Swallow Ct. CW7 54 C6
Swanlow Dri. CW7 54 C6
Swanlow La. CW7 54 B4
Sycamore Av. CW7 54 C4
Tamar Wk. CW7 55 G1
Tarn Clo. CW7 54 C1
Tatton Clo. CW7 54 B3
Teal Clo. CW7 54 D6
Thames Pl. CW7 55 H3
The Drumber. CW7 54 D3
The Fairways. CW7 54 A2
The Loont. CW7 54 C5
The Maples. CW7 55 F1
Thorneycroft. CW7 54 A4
Townfields Cres. CW7 54 C4
Townfields Dri. CW7 54 C5
Townfields Gdns. CW7 54 C5
Townfields Rd. CW7 54 C5
Trent Av. CW7 55 G3
Trent Clo. CW7 55 G3
Troutbeck Gro. CW7 54 D2
Tudor Clo. CW7 54 C6
Turnberry Clo. CW7 54 C2
Ullswater Av. CW7 54 C2
Upper Haigh St. CW7 54 C4
Vauxhall Way. CW7 54 C6
Verdin Clo. CW7 54 C2
Vicarage Gro. CW7 54 C6
Victoria Sq. CW7 54 A4
Wades La. CW7 54 C1
Walmer Pl. CW7 54 B5
Walnut Dri. CW7 55 F2
Warwick Pl. CW7 54 B5
Ways Grn. CW7 54 D4
Weaver St. CW7 54 D3
Weaver Valley Rd.
  CW7 55 E1
Well St. CW7 54 C3
Wellfield. CW7 55 F2
Welsh La. CW7 54 D6
Wentworth Gro. CW7 54 A1
Wesley Ct. CW7 55 F3
West Dri. CW7 55 F2
West Dudley St. CW7 55 F2
Westgate Av. CW7 54 A2
Westwood Ct. CW7 54 C4
*Westminster Gro,
  St Johns Dri. CW7 54 A4
Wharton Gdns. CW7 55 F1
Wharton Pk Rd. CW7 55 E2
Wharton Rd. CW7 55 E3
Wheelock Dri. CW7 55 G3
Whitbys La. CW7 54 A3
William St. CW7 55 E3
Willow Clo. CW7 54 C1
Willow Sq. CW7 55 G2
Windermere Rd. CW7 54 C2
Windsor Dri. CW7 54 C6
Wingfield Pl. CW7 54 B5
Winnington St. CW7 55 E3
Wolvesey Pl. CW7 54 B5
Woodcott Av. CW7 54 A3
Woodford Ct. CW7 54 A5
Woodford La. CW7 54 B4
Woodford Lane West.
  CW7 54 A5
Woodlark Clo. CW7 55 F4
York Dri. CW7 54 C6

ESTATE PUBLICATIONS

LOCAL RED BOOKS

ALDERSHOT, CAMBERLEY
ALFRETON, BELPER, RIPLEY
ASHFORD, TENTERDEN
BANGOR, CAERNARFON
BARNSTAPLE, ILFRACOMBE
BASILDON, BILLERICAY
BASINGSTOKE, ANDOVER
BATH, BRADFORD-ON-AVON
BEDFORD
BOURNEMOUTH, POOLE, CHRISTCHURCH
BRACKNELL
BRENTWOOD
BRIGHTON, LEWES, NEWHAVEN, SEAFORD
BRISTOL
BROMLEY (London Bromley)
BURTON-UPON-TRENT, SWADLINCOTE
BURY ST. EDMUNDS
CAMBRIDGE
CARDIFF
CARLISLE
CHELMSFORD, BRAINTREE, MALDON, WITHAM
CHESTER
CHESTERFIELD
CHICHESTER, BOGNOR REGIS
COATBRIDGE, AIRDRIE
COLCHESTER, CLACTON
CORBY, KETTERING
CRAWLEY & MID SUSSEX
CREWE
DERBY, HEANOR, CASTLE DONINGTON
EASTBOURNE, BEXHILL, SEAFORD, NEWHAVEN
EDINBURGH, MUSSELBURGH, PENICUIK
EXETER, EXMOUTH
FALKIRK, GRANGEMOUTH
FAREHAM, GOSPORT
FLINTSHIRE TOWNS
FOLKESTONE, DOVER, DEAL & ROMNEY MARSH
GLASGOW, & PAISLEY
GLOUCESTER, CHELTENHAM
GRAVESEND, DARTFORD
GRAYS, THURROCK
GREAT YARMOUTH, LOWESTOFT
GRIMSBY, CLEETHORPES
GUILDFORD, WOKING
HAMILTON, MOTHERWELL, EAST KILBRIDE
HARLOW, BISHOPS STORTFORD
HASTINGS, BEXHILL, RYE
HEREFORD
HERTFORD, HODDESDON, WARE
HIGH WYCOMBE
HUNTINGDON, ST. NEOTS
IPSWICH, FELIXSTOWE
ISLE OF WIGHT TOWNS
KENDAL
KIDDERMINSTER
KINGSTON-UPON-HULL
LANCASTER, MORECAMBE
LEICESTER, LOUGHBOROUGH
LINCOLN
LLANDUDNO, COLWYN BAY
LUTON, DUNSTABLE
MACCLESFIELD
MAIDSTONE
MANSFIELD, MANSFIELD WOODHOUSE
MEDWAY, GILLINGHAM
MILTON KEYNES
NEW FOREST TOWNS
NEWPORT, CHEPSTOW
NEWTOWN, WELSHPOOL
NORTHAMPTON
NORTHWICH, WINSFORD
NORWICH
NOTTINGHAM, EASTWOOD, HUCKNALL, ILKESTON
OXFORD, ABINGDON
PENZANCE, ST. IVES
PETERBOROUGH
PLYMOUTH, IVYBRIDGE, SALTASH, TORPOINT
PORTSMOUTH, HAVANT, WATERLOOVILLE
READING
REDDITCH, BROMSGROVE
REIGATE, BANSTEAD, LEATHERHEAD, DORKING
RHYL, PRESTATYN
RUGBY

ST. ALBANS, WELWYN, HATFIELD
SALISBURY, AMESBURY, WILTON
SCUNTHORPE
SEVENOAKS
SHREWSBURY
SITTINGBOURNE, FAVERSHAM, ISLE OF SHEPPEY
SLOUGH, MAIDENHEAD, WINDSOR
SOUTHAMPTON, EASTLEIGH
SOUTHEND-ON-SEA
STAFFORD
STEVENAGE, HITCHIN, LETCHWORTH
STIRLING
STOKE-ON-TRENT
STROUD, NAILSWORTH
SWANSEA, NEATH, PORT TALBOT
SWINDON, CHIPPENHAM, MARLBOROUGH
TAUNTON, BRIDGWATER
TELFORD
THANET, CANTERBURY, HERNE BAY, WHITSTABLE
TORBAY (Torquay, Paignton, Newton Abbot)
TRURO, FALMOUTH
TUNBRIDGE WELLS, TONBRIDGE, CROWBOROUGH
WARWICK, ROYAL LEAMINGTON SPA &
    STRATFORD UPON AVON
WATFORD, HEMEL HEMPSTEAD
WELLINGBOROUGH
WESTON-SUPER-MARE, CLEVEDON
WEYMOUTH, DORCHESTER
WINCHESTER, NEW ARLESFORD
WORCESTER, DROITWICH
WORTHING, LITTLEHAMPTON, ARUNDEL
WREXHAM
YORK

COUNTY RED BOOKS (Town Centre Maps)

BEDFORDSHIRE
BERKSHIRE
BUCKINGHAMSHIRE
CAMBRIDGESHIRE
CHESHIRE
CORNWALL
DERBYSHIRE
DEVON
DORSET
ESSEX
GLOUCESTERSHIRE
HAMPSHIRE
HEREFORDSHIRE
HERTFORDSHIRE
KENT
LEICESTERSHIRE & RUTLAND
LINCOLNSHIRE
NORFOLK
NORTHAMPTONSHIRE
NOTTINGHAMSHIRE
OXFORDSHIRE
SHROPSHIRE
SOMERSET
STAFFORDSHIRE
SUFFOLK
SURREY
SUSSEX (EAST)
SUSSEX (WEST)
WILTSHIRE
WORCESTERSHIRE

OTHER MAPS

KENT TO CORNWALL (1:460,000)
COUNTY MAP - DORSET
         - SOMERSET
         - WILTSHIRE
CHINA (1:6,000,000)
INDIA (1:3,750,000)
INDONESIA (1:4,000,000)
NEPAL (1,800,000)
SOUTH EAST ASIA (1:6,000,000)
THAILAND (1:1,600,000)

STREET PLANS

EDINBURGH TOURIST PLAN
ST. ALBANS

OFFICIAL TOURIST & LEISURE MAPS

SOUTH EAST ENGLAND (1:200,000)
KENT & EAST SUSSEX (1:150,000)
SUSSEX & SURREY (1:150,000)
SUSSEX (1:50,000)
SOUTHERN ENGLAND (1:200,000)
ISLE OF WIGHT (1:50,000)
WESSEX (1:200,000)
DORSET (1:50,000)
DEVON & CORNWALL (1:200,000)
CORNWALL (1:180,000)
DEVON (1:200,000)
DARTMOOR & SOUTH DEVON COAST (1:100,000)
EXMOOR & NORTH DEVON COAST (1:100,000)
GREATER LONDON M25 (1:80,000)
EAST ANGLIA (1:200,000)
CHILTERNS & THAMES VALLEY (1:200,000)
THE COTSWOLDS (1:110,000)
COTSWOLDS & WYEDEAN (1:200,000)
WALES (1:250,000)
CYMRU (1:250,000)
THE SHIRES OF MIDDLE ENGLAND (1:250,000)
PEAK DISTRICT (1:100,000)
SNOWDONIA (1:125,000)
YORKSHIRE (1:200,000)
YORKSHIRE DALES (1:125,000)
NORTH YORKSHIRE MOORS (1:125,000)
NORTH WEST ENGLAND (1:200,000)
ISLE OF MAN (1:60,000)
NORTH PENNINES & LAKES (1:200,000)
LAKE DISTRICT (1:75,000)
BORDERS OF ENGLAND & SCOTLAND (1:200,000)
BURNS COUNTRY (1:200,000)
HEART OF SCOTLAND (1:200,000)
GREATER GLASGOW (1:150,000)
EDINBURGH & THE LOTHIANS (1:150,000)
ISLE OF ARRAN (1:63,360)
FIFE (1:100,000)
LOCH LOMOND & TROSSACHS (1:150,000)
ARGYLL THE ISLES & LOCH LOMOND (1:275,000)
PERTHSHIRE, DUNDEE & ANGUS (1:150,000)
FORT WILLIAM, BEN NEVIS, GLEN COE (1:185,000)
IONA (1:10,000) & MULL (1:115,000)
GRAMPIAN HIGHLANDS (1:185,000)
LOCH NESS & INVERNESS (1:150,000)
AVIEMORE & SPEY VALLEY (1:150,000)
SKYE & LOCHALSH (1:130,000)
ARGYLL & THE ISLES (1:200,000)
CAITHNESS & SUTHERLAND (1:185,000)
HIGHLANDS OF SCOTLAND (1:275,000)
WESTERN ISLES (1:125,000)
ORKNEY & SHETLAND (1:128,000)
ENGLAND & WALES (1:650,000)
SCOTLAND (1:500,000)
HISTORIC SCOTLAND (1:500,000)
SCOTLAND CLAN MAP (1:625,000)
BRITISH ISLES (1:1,100,000)
GREAT BRITAIN (1:1,100,000)

EUROPEAN LEISURE MAPS

EUROPE (1:3,100,000)
BENELUX (1:600,000)
FRANCE (1:1,000,000)
GERMANY (1:1,000,000
IRELAND (1:625,000)
ITALY (1:1,000,000)
SPAIN & PORTUGAL (1,1,000,000)
CROSS CHANNEL VISITORS' MAP (1:530,000)
WORLD (1:35,000,000)
WORLD FLAT

TOWNS IN NORTHERN FRANCE STREET ATLAS
BOULOGNE SHOPPERS MAP
CALAIS SHOPPERS MAP
DIEPPE SHOPPERS MAP

ESTATE PUBLICATIONS are also
Distributors in the UK for:

INTERNATIONAL TRAVEL MAPS, Canada
HALLWAG, Switzerland
ORDNANCE SURVEY

Catalogue and prices from:
ESTATE PUBLICATIONS
Bridewell House, Tenterden, Kent. TN30 6EP.
Tel: 01580 764225   Fax: 01580 763720

www.estate-publications.co.uk